El niño
hiperactivo

Inmaculada Moreno García

El niño
hiperactivo

EDICIONES PIRÁMIDE

COLECCIÓN «GUÍAS PARA PADRES»

Director:
Francisco Xavier Méndez
Catedrático de Tratamiento Psicológico Infantil
de la Universidad de Murcia

Diseño de cubierta: Gerardo Domínguez

Maquetación: Grupo Anaya

© Inmaculada Moreno García
© Ediciones Pirámide (Grupo Anaya, S. A.), 2005
Juan Ignacio Luca de Tena, 15. 28027 Madrid
Teléfono: 91 393 89 89
www.edicionespiramide.es
Depósito legal: M. 38-2005
ISBN: 84-368-1888-1
Printed in Spain
Impreso en Lavel, S. A.
Polígono Industrial Los Llanos. Gran Canaria, 12
Humanes de Madrid (Madrid)

A Antonio.

Índice

Prólogo

Éste es un libro excepcional que lleva al conocimiento sobre el Trastorno por Déficit de Atención (TDAH) a profesionales clínicos, familias de afectados, educadores y otras personas interesadas en comprender el estado actual del trastorno y su manejo.

Para mí es un honor prologar el libro y animar a otras personas a que lo lean. A pesar de que el TDAH es un trastorno universal de inhibición, atención y autocontrol que se observa en todos los países y culturas, es en la actualidad desconocido por muchos y mal comprendido por otros.

El libro de la doctora Moreno García busca iluminarnos sobre el TDAH y su tratamiento, de tal manera que sea posible acabar con la ignorancia que aún existe sobre el trastorno, al mismo tiempo que manifiesta un gran respeto por su importancia y mucha esperanza en su manejo. Yo le aplaudo al hacerlo.

RUSSELL A. BARKLEY, Ph. D.
Professor, Department of Psychiatry
Medical University of South Carolina
Charleston, SC USA

Presentación

El contacto inicial y las sesiones terapéuticas posteriores con los padres de niños hiperactivos constituyen el germen y punto de partida de este libro que usted, lector, tiene ahora en sus manos. Su objetivo no es revisar y actualizar los conocimientos y avances respecto a la etiología, diagnóstico y tratamiento de la hiperactividad, tal como hacen buena parte de las publicaciones existentes interesadas en analizar la implicación que el Trastorno por Déficit de Atención tiene para los niños afectados. Este proyecto surgió en origen con el objetivo de elaborar un libro dirigido a los padres, en un intento por dar respuesta a algunos de los numerosos interrogantes que a diario se plantean, *¿qué hacer cuando...?, ¿por qué no funcionan los métodos que utilizo?, ¿qué le digo al profesor cuando se queja de mi hijo?, ¿cómo puedo evitar tantos enfados y peleas con sus hermanos?* En esto se diferencia el texto que presentamos, es decir, está pensado, dirigido y enfocado hacia los padres de niños hiperactivos. A lo largo de sus capítulos y páginas tratamos de adoptar su punto de vista, plasmar sus dudas e inquietudes y abordar el malestar subjetivo y estrés que experimentan asociado a los problemas y conflictos que caracterizan la convivencia diaria con sus hijos hiperactivos. Así pues, constituye un objetivo esencial hacer hincapié en los recursos y habilidades conductuales que los adultos pueden poner en práctica para mejorar y manejar el comportamiento de los niños afectados.

Sin embargo, no se trata de un libro de «recetas». Es sabido que el trastorno hiperactivo no se resuelve con unas cuantas indicaciones, requiere la intervención y actuación de profesionales encargados de efectuar y precisar el diagnóstico, plantear el tratamiento, supervisar la aplicación de la terapia, realizar el seguimiento del niño y asesorar a padres y profesores. En consecuencia, el propósito de este libro no es otro que ayudar a los padres a mejorar la convivencia diaria y hacerlo a partir de la modificación de su propia conducta y del modo habitual que tienen de afrontar las dificultades y conflictos vinculados a la hiperactividad, subrayando que los cambios que se esperan en el comportamiento de su hijo se observarán progresivamente, a partir del cambio y el trabajo continuado que ellos mismos han de efectuar.

Es claro que los adultos responsables de cuidar, enseñar y ayudar a los niños hiperactivos necesitan comprender la realidad y complejidad del trastorno como paso previo para mejorar la convivencia con el niño afectado en casa, con la familia. Por este motivo, el primer capítulo está dedicado a exponer los hallazgos actuales sobre la hiperactividad, en términos de conceptualización, sintomatología y prevalencia, fundamentalmente.

El segundo capítulo analiza los problemas complejos a los que han de hacer frente padres y niños hiperactivos en el ámbito académico y social. Se exponen ciertas pautas de actuación en relación con el colegio, el rendimiento escolar y las interacciones con el profesor. Asimismo, se plantean indicaciones para apoyar y fomentar la adaptación del niño en el grupo de iguales, con amigos y compañeros. A continuación, el capítulo tercero está dedicado al plan de actuación que proponemos para manejar y optimizar el comportamiento del niño. Se subraya la conveniencia de reflexionar previamente sobre los conceptos e ideas que subyacen al modo habitual de comportarse los padres en las interacciones con sus hijos y, tras revisar y analizar los métodos educativos más comunes en estos casos, se desarrolla la propuesta de actuación que, a nuestro juicio, debe apoyarse en tres pilares fundamentales, a saber: habilidades personales y de comunicación de los propios padres, iniciativas de control ambiental, y actuaciones específicas encaminadas a favorecer inhibición y autocontrol en el propio niño afectado.

El capítulo cuarto está dedicado a la solicitud de ayuda profesional. Se hace especial hincapié en analizar y revisar los distintos tratamientos que en la actualidad se aplican para tratar la hiperactividad, al tiempo que se exponen orientaciones e indicaciones para ayudar a los padres ante la evaluación psicológica de su hijo y para decidir acerca del tratamiento/s recomendado/s. En caso de estar próxima la aplicación de la terapia, farmacológica y/o psicológica, se indican ciertas pautas para garantizar con éxito su aplicación. Finalmente, el último capítulo se hace eco de los desarrollos futuros y subraya el papel de los padres en la evolución y mejoría del comportamiento de sus hijos hiperactivos.

Sevilla, junio de 2004.

INMACULADA MORENO GARCÍA

Agradecimientos

El proceso de elaboración de un libro requiere de ayuda y apoyo inestimable que me gustaría reconocer en estas páginas. Quiero expresar mi agradecimiento al doctor Manuel L. Morales, sus aportaciones y reflexiones han facilitado mi comprensión del TDAH en particular y de la terapia de conducta infantil en general. Sus comentarios y observaciones me han sugerido modificaciones acertadas que he incorporado al contenido de este libro.

A los padres de niños hiperactivos que me transmiten el enorme valor y esfuerzo que realizan diariamente para mejorar los problemas de sus hijos y ayudarles a afrontar las dificultades que encuentran en su vida cotidiana, en el colegio y con sus amigos.

Quiero agradecer a mis alumnos y colaboradores en la Universidad de Sevilla que, pese a las dificultades, mantienen vivo el entusiasmo por el estudio e investigación del Trastorno por Déficit de Atención con Hiperactividad.

Mención expresa a mi familia, que me apoya sin límite en cada uno de los proyectos que emprendo, aun a sabiendas del coste que para ellos también supone cada compromiso que adopto en este sentido.

A todos ellos, mi reconocimiento por cuánto me han enseñado y apoyado mientras llevaba a cabo la realización de este libro.

1

Explicación comprensiva del problema. Hiperactividad infantil

Si usted es padre de un niño hiperactivo o sospecha
que su hijo pueda serlo, en estas primeras páginas
encontrará información relativa al Trastorno por
Déficit de Atención con Hiperactividad (TDAH).
Se trata de una primera aproximación al tema;
a través de su lectura conocerá cuáles son las
manifestaciones más destacadas y
los problemas asociados, así como su evolución
y los conocimientos actuales acerca de su origen y
factores implicados.

Concepto. ¿Qué es la hiperactividad?

Lógicamente, a los expertos y conocedores de esta problemática les gustaría poder explicar a padres y profesores de los niños afectados de forma clara, precisa y exhaustiva al mismo tiempo qué es la hiperactividad, qué significa para el desarrollo y evolución del niño. En realidad no debieran existir muchos obstáculos para lograr este propósito, pues hacemos referencia a un trastorno infantil sobre el que existe una amplia tradición investigadora; se encuentra, además, entre los más estudiados de cuantos se describen en el campo de la salud mental y con relación al cual distintos profesionales se hacen eco de su problemática. Son numerosos los libros, capítulos y artículos científicos en los que se describen sus síntomas, características asociadas, criterios diagnósticos, factores explicativos, pruebas de evaluación empleadas, modalidades de tratamiento administradas habitualmente y, en menor medida, intentos de prevención. Tanto es así, que resulta difícil encontrar un texto sobre psicología infantil en el que no aparezca un capítulo dedicado a esta problemática. Asimismo, difícilmente otro trastorno diagnosticado en la infancia ha despertado la atención de tan diversos profesionales: psicólogos, pediatras, psiquiatras infantiles, neurólogos, pedagogos, profesores y tutores académicos se han interesado por la hiperactividad y los problemas atencionales.

No obstante, al intentar dar respuesta a la cuestión anterior surge de inmediato la impresión de encontrarnos ante un problema que afecta y perjudica a muchos niños, pero que resulta contradictorio en muchos de sus extremos. Nos referimos a un trastorno psicológico conocido socialmente pero al mismo tiempo desconocido en aspectos tan relevantes como sus causas, evolución o tratamiento eficaz. Por estos motivos, la explicación de la hiperactividad necesariamente debe atender a los polos extremos de este trastorno que podemos delimitar, para facilitar su comprensión, en los siguientes términos:

TABLA 1.1
Trastorno por déficit de atención con hiperactividad (TDAH)

Aspectos destacados	Cuestiones pendientes
• Reconocible y conocido socialmente. • Identificado con frecuencia en el ámbito escolar. • Problemático y preocupante para los padres. • Ampliamente investigado. • Numerosos profesionales implicados en su estudio, control y tratamiento.	• Desconocido en cuanto a su etiología. • Incógnitas sobre su evolución. • Ignorancia sobre las respuestas individuales al tratamiento. • Desconocimiento sobre tratamiento eficaz.

Así pues, no resulta una tarea fácil tratar de definir y responder a la pregunta qué es la hiperactividad, si, además, tenemos en cuenta que el concepto de este trastorno ha cambiado según la época en la que se han desarrollado los estudios sobre el mismo. Es decir, el modo de entenderlo y explicarlo ha evolucionado de acuerdo con las distintas investigaciones del momento sobre su etiología o manifestaciones más relevantes y, en consonancia con esta situación, también han cambiado las denominaciones empleadas para referirse al mismo. Por este motivo, aunque algunos términos ya se encuentren en desuso, llama la atención que para designar y aludir a los niños con alteraciones y comportamientos hiperactivos se empleen términos tan dispares como, por ejemplo, síndrome hiperkinético, disfunción cerebral mínima, hiperactividad, desorden por déficit de atención (con o sin hiperactividad), trastorno por déficit de atención con hiperactividad, etc.

Para tener una idea, al menos aproximada, que nos permita comprender la situación actual podemos, siguiendo a Barkley, sintetizar la evolución del concepto de hiperactividad refiriéndonos a las cinco últimas décadas del pasado siglo del modo siguiente:

1. | Equiparación del concepto con daño cerebral (desde su primera formulación hasta los años cincuenta), dando lugar a la denominación de *disfunción cerebral mínima*. Como hecho destacado cabe mencionar el descubrimiento de los fármacos estimulantes y sus efectos, sobre todo, en el control de los síntomas motores característicos.

2. | Década de los años sesenta. La influencia del modelo psicológico conductual se deja notar en el enfoque del trastorno adoptado por entonces, haciendo hincapié en la sobreactividad motora y centrando la evaluación en la conducta manifiesta alterada. El pronóstico de los niños mejoró y se iniciaron los primeros pasos para un enfoque terapéutico del trastorno no farmacológico.

3. | Los años setenta se caracterizaron por el interés de los investigadores hacia los déficit de atención que acompañan a los síntomas de hiperactividad motora. Adquirieron auge las limitaciones cognitivas (problemas atencionales, distracción, impulsividad, etc.)

hasta entonces observadas como asociadas a los síntomas motores. Estos cambios dieron lugar a la denominación de *Trastorno por Déficit de Atención (con y sin Hiperactividad)*. Por entonces se amplió la difusión del concepto más allá de los ámbitos científicos y profesionales y se extendió su implicación en el contexto escolar, familiar y social. Como consecuencia de esta situación proliferaron considerablemente los estudios y recursos científicos empleados en su estudio.

4. En la década siguiente predominó el valor y relevancia de los criterios diagnósticos. En general, los años ochenta se caracterizaron fundamentalmente por la disponibilidad de sistemas e instrumentos más fiables para diagnosticar el trastorno hiperactivo.

5. Los años noventa tienen como referente, según este autor, los estudios genéticos, la neuroimagen y la diferenciación del TDAH en adultos, amén del planteamiento de modelos explicativos más complejos.

En cualquier caso, al margen de los conceptos y términos distintos, los estudios realizados durante las décadas precedentes han puesto de manifiesto que nos encontramos ante un trastorno, de inicio en la infancia, que se caracteriza por los siguientes aspectos:

- Heterogeneidad conductual.
- Variación sintomatológica.
- Etiología multifactorial.
- Naturaleza crónica.

En las páginas siguientes desarrollaremos ampliamente estas cuestiones, tan sólo indicar en este momento, respecto a la consideración crónica del trastorno hiperactivo, que varios indicadores señalan en esta dirección, a saber:

El niño hiperactivo

1. Los síntomas/características del trastorno son bastante estables durante el desarrollo aunque, sobre todo, los comportamientos impulsivos e hiperactivos y, en menor medida, los problemas atencionales tienden a disminuir con la edad. No obstante, dos cuestiones resultan de interés al respecto. Por un lado, si bien algunos afectados mejoran su comportamiento, éstos no llegan a alcanzar el nivel de sus iguales en adaptación académica, familiar y social. Se estima, con relación a la persistencia de síntomas, que entre 50-80% continúa cumpliendo los criterios diagnósticos en la adolescencia y entre 10-65% en la madurez. En cualquier caso, aunque no se mantenga el diagnóstico, sí parece que entre el 30-65% de los niños diagnosticados como hiperactivos continúan con síntomas en la vida adulta, originando problemas o dificultades en esta etapa.

2. Por otro lado, hay que atender a los resultados y logros obtenidos por las distintas terapias administradas. Hasta el momento queda de manifiesto el limitado éxito terapéutico cosechado por los diferentes tratamientos recomendados. Tanto es así, que el limitado alcance de los avances terapéuticos justifica las propuestas actuales que abogan por conceptuar la hiperactividad como si de una condición crónica se tratara, dado que este trastorno no puede ser abordado clínicamente de forma que desaparezca. De hecho, los tratamientos actuales mantienen el TDAH bajo control pero no logran eliminarlo, aunque, eso sí, se observan progresos considerables que mejoran la calidad de vida de los pacientes tratados y sus familias. Por este motivo, los protocolos terapéuticos que se desarrollan en la actualidad contemplan la administración de tratamientos, en etapas más o menos activas, durante la vida de la persona afectada.

En resumen, numerosas pruebas señalan que la hiperactividad no es una enfermedad o un problema transitorio que aparece en la infancia y remite años más tarde con la edad. La persistencia en la adolescencia y, en algunos casos, en la vida adulta de las alteraciones características, sobre todo los déficit atencionales, aconsejan estar atento a la evolución de los primeros síntomas, consultar cuanto antes con expertos para detectar el trastorno, establecer el diagnóstico y decidir el tratamiento más eficaz. También es conveniente adoptar medidas en el entorno natural, en casa y en el colegio, encaminadas a controlar los comportamientos problemáticos y atenuar el impacto de los mismos en el rendimiento académico.

Características de los niños hiperactivos. Niños activos, distraídos e impulsivos

Aunque el concepto de hiperactividad ha cambiado según el estado de las investigaciones en las distintas etapas históricas, permanecen inalterables desde su formulación las características y síntomas primarios. Invariablemente se han descrito los niños hiperactivos como inquietos, más movidos de lo habitual, con dificultades para controlar su actividad física, distraídos, inconstantes en el trabajo, impulsivos, etc.

Existe consenso acerca de las características fundamentales de este trastorno, a saber, *dificultades atencionales,* reflejadas en los problemas observados en los niños afectados para lograr y mantener la atención, *impulsividad y excesiva actividad motora*. De alguna manera, como señala Barkley (1990), si hemos de buscar algún denominador común a estas alteraciones características, ése es *el déficit que tienen estos niños para inhibir su conducta y satisfacer las exigencias y demandas ambientales del momento*. Ahora bien, la aparición de algunos comportamientos que, en principio, pudieran indicar la presencia del trastorno no basta por sí sola para establecer el diagnóstico de TDAH. Es decir, para que el niño con estos problemas sea diagnosticado como hiperactivo es imprescindible que algunos síntomas de hiperactividad-impulsividad se hayan observado antes de los 7 años y se detecten en dos o más situaciones ambientales (escuela y casa). Con este criterio se exige, por tanto, cierta consistencia y estabilidad de los problemas, asegurándose de que éstos no aparezcan asociados a determinados ambientes que, de un modo u otro, puedan predisponer la aparición de los mismos.

Al mismo tiempo, se requieren criterios presenciales y temporales o, lo que es igual, el diagnóstico exige la presencia de seis o más síntomas de desatención, de hiperactividad-impulsividad al menos durante seis meses, insistiendo, de esta forma, en la necesidad de comprobar cierta persistencia temporal de las alteraciones. Por otro lado, se hace necesario, asimismo, que la presencia de las dificultades y problemas característicos no sea acorde con el nivel de desarrollo y, por tanto, diferencie a los niños afectados de aquellos que no padecen el trastorno hiperactivo que, en definitiva, ha provocado alteración significativa de la adaptación social y académica del paciente infantil. Se excluye además la presencia de otro trastorno mental.

El diagnóstico del trastorno por déficit de atención con hiperactividad (DSM-IV-TR) (APA, 2000) contempla cuatro subtipos según el predominio durante seis meses bien de síntomas de desatención (*trastorno por déficit de atención con hiperactividad tipo con predominio de déficit de atención*), bien de hiperactividad-impulsividad (*trastorno por déficit de atención con hiperactividad tipo con predominio hiperactivo-impulsivo*) o de ambos tipos, atencionales e hiperactivos-impulsivos (*trastorno por déficit de atención con hiperactividad tipo combinado*). Por último, si el niño presenta síntomas de desatención o de hiperactividad-impulsividad pero no cumple los criterios anteriores puede diagnosticarse como *trastorno por déficit de atención con hiperactividad no especificado*.

Padres y profesores con niños/alumnos hiperactivos reconocen fácilmente los problemas cuando se les pregunta, entre otras cuestiones, si el niño parece no escuchar cuando se le habla directamente, si tiene dificultades para mantener la atención en actividades lúdicas y para organizar tareas y actividades, si a menudo no sigue las instrucciones y no acaba las tareas escolares o los encargos u obligaciones familiares, si evita o se resiste a trabajar en tareas o actividades que exigen un esfuerzo mental sostenido, distrayéndose fácilmente por estímulos o detalles irrelevantes. La confirmación de estos síntomas, junto al cumplimiento de los criterios referidos anteriormente, fundamentan el diagnóstico de trastorno por déficit de atención con hiperactividad tipo con predominio de déficit de atención.

En otros casos, el niño con frecuencia interrumpe o se entromete en las actividades de otros, le resulta complicado guardar turno en actividades escolares y sociales, habla en exceso y responde incluso antes de que el interlocutor haya finalizado las preguntas. Da la impresión como si tuviera un motor en marcha, mueve en exceso manos, pies, se levanta reiteradamente, corre, salta en situaciones impropias para tal actividad. A todo ello se suman las dificultades para jugar y participar en actividades de ocio. Esta descripción corresponde con la segunda y tercera característica, hiperactividad e impulsividad respectivamente, que definen el TDAH (DSM-IV-TR, APA, 2000) y, en consecuencia, aquel niño que compartiera estos síntomas durante seis meses probablemente sería diagnosticado con trastorno por déficit de atención con hiperactividad tipo con predominio hiperactivo-impulsivo.

TABLA 1.2

Síntomas de Desatención y de Hiperactividad-Impulsividad que se aprecian en los niños para el diagnóstico de este trastorno, DSM-IV-TR (APA, 2000)

Desatención	Hiperactividad-Impulsividad
• No presta atención suficiente a los detalles. • Dificultades para mantener la atención en tareas y actividades lúdicas. • No escucha cuando se le habla. • No sigue instrucciones. • No finaliza tareas escolares, encargos u obligaciones. • Dificultades para organizar tareas, actividades. • Dificultades en tareas que requieren esfuerzo mental sostenido. • Extravía objetos necesarios para tareas o actividades. • Se distrae con estímulos irrelevantes. • Es descuidado en las tareas diarias.	• Mueve en exceso manos o pies, se remueve en el asiento. • Abandona su asiento en situaciones en que se espera que permanezca sentado. • Corre, salta excesivamente en situaciones inapropiadas. • Dificultades para jugar o dedicarse a actividades de ocio. • Actúa como si tuviera un motor. • Habla en exceso. • Precipita respuestas antes de finalizar las preguntas. • Dificultades para guardar turno. • Interrumpe actividades de otros.

Cuando se establece el diagnóstico de Trastorno por Déficit de Atención con Hiperactividad (TDAH) es frecuente que los padres planteen a los profesionales las dudas que mantienen sobre las posibilidades de error en el diagnóstico, sugiriéndoles que, en realidad, su hijo tan sólo es algo inquieto y tal vez un poco más movido de lo habitual. Son habituales preguntas como las siguientes:

¿Puede pasar desapercibido el niño hiperactivo y confundirse con otro niño alborotador e impaciente?

¿Cómo podemos asegurarnos de que nuestro hijo es realmente hiperactivo o tan sólo algo más activo e inquieto de lo normal?

> Hasta ahora hemos creído que ser un poco inquieto, intranquilo y desobediente era normal y no debíamos preocuparnos, ¿dónde está el límite entre la hiperactividad y la normalidad en la infancia?

Los niños hiperactivos presentan comportamientos que se observan con frecuencia en la población normal infantil, en niños no afectados por este trastorno, motivo que explica la incertidumbre que a veces acompaña a los padres tras el diagnóstico. No cabe duda de que la conducta problemática tal y como podemos observarla es normal, ahora bien, hemos de tener en cuenta que el diagnóstico e identificación de los niños afectados no se establece únicamente en términos de presencia o ausencia de los problemas (sobreactividad motora, inquietud, desobediencia, etc.), tiene en cuenta, además, otros criterios relacionados con la frecuencia, intensidad y gravedad de los mismos, su persistencia y duración, la solidez y consistencia del comportamiento habitual y la repercusión y afectación adversa de la vida académica, social y familiar (Moreno y Severa, 2002).

Para delimitar y precisar en lo posible el trastorno se manejan los siguientes **criterios diferenciadores:**

1. Presencia de actividad motora excesiva asociada a dificultades de concentración y problemas para inhibir su conducta en situaciones ambientales que así lo requieren.

2. Consistencia sintomatológica en dos o más situaciones (en el colegio y en casa).

3. Persistencia temporal de los síntomas característicos (al menos seis meses).

4. Exigencias presenciales en cuanto a los síntomas característicos (seis o más).

5. Los síntomas propios resultan ajenos al nivel de desarrollo (se aprecian con una intensidad que es clara-

mente desadaptativa e incoherente con lo que cabe esperar según el nivel de desarrollo).

6. | Deben existir pruebas claras de deterioro clínicamente significativo de la actividad social, académica o laboral.

Así pues, no todos los niños que muestran comportamientos de desobediencia, inquietud, etc., son hiperactivos. Lo recomendable es no alarmar ni exagerar, ahora bien, ante la sospecha de posible hiperactividad conviene consultar a profesionales, no esperar que el problema desaparezca o se corrija con el paso del tiempo. Serán los expertos quienes manejando los instrumentos diagnósticos eficaces se encargarán de precisar el diagnóstico y, si se confirman las sospechas iniciales, orientar acerca de su tratamiento posterior.

Problemas asociados. Comportamiento difícil, pobres resultados escolares, pocos amigos

Profesionales, padres y profesores de estos niños aprecian en su vida diaria y práctica profesional que la hiperactividad trasciende los límites de los síntomas y características básicas ya reconocidas, y se expande incidiendo de distinto modo en la adaptación y funcionamiento psicológico del niño afectado. Numerosos autores se refieren a esta cuestión indicando que, en realidad, la importancia y gravedad de este trastorno no se debe únicamente a sus manifestaciones conocidas, sino a su contribución para acentuar la vulnerabilidad del niño hacia otros problemas y dificultades (Taylor, 1998). Es decir, el niño hiperactivo presenta dificultades y limitaciones que afectan a distintos ámbitos psicológicos.

Aunque no es posible dibujar un perfil unitario que aglutine a todos los afectados, debido a la heterogeneidad de las alteraciones que presentan, sí es posible delimitar y sistematizar según su naturaleza las áreas en las que se concentran sus dificultades. Fundamentalmente la hiperactividad va acompañada de:

1. *Problemas conductuales:* Mayoritariamente los niños hiperactivos tienen dificultades para seguir instrucciones verbales que les dan los adultos y para ajustar su comportamiento a normas escolares, familiares o sociales. También se aprecia excesiva variabilidad en sus respuestas y en su manera de trabajar.

2. *Dificultades cognitivas:* Además muestran dificultades para controlar e inhibir su comportamiento en situaciones en las que se espera que esto ocurra. Por ejemplo, en clase mientras el profesor explica o cuando han de realizar las tareas o en lugares y situaciones públicas. Asimismo, muestran problemas tanto para controlar el impulso de hacer algo distinto de lo que hacen en este preciso momento, como para retrasar las gratificaciones y anticipar las posibles consecuencias que originará su comportamiento. Son notables sus déficit en habilidades de solución de problemas, búsqueda de alternativas y planificación previa de sus actuaciones.

3. *Problemas escolares:* Son generalizadas sus dificultades de rendimiento académico en casi todas las materias escolares. Tienen problemas de aprendizaje y su comportamiento en relación con las tareas académicas es desorganizado, caótico e inconstante.

4. *Alteraciones en el ámbito social:* Los niños hiperactivos mantienen relaciones difíciles y problemáticas con sus iguales, suelen ser mal aceptados y excluidos de

actividades sociales debido a sus comportamientos impulsivos, intolerantes y, con frecuencia, agresivos. Suelen interrumpir el juego de sus compañeros y molestarlos con frecuencia. Esto origina rechazo por parte de los iguales que se traduce, en el caso del niño afectado, en aislamiento y preferencia por compartir juegos y actividades con niños de menor edad. Asimismo, las relaciones cotidianas con padres y hermanos son fuente permanente de conflictos.

5. *Problemas emocionales:* Con frecuencia se observan alteraciones del estado de ánimo, reacciones de ansiedad, irritabilidad y déficit de autoestima, explicados en gran medida por los conflictos continuos con el medio social, las experiencias cotidianas de fracaso personal y por el rechazo social que perciben. Asimismo, los menores hiperactivos muestran dificultades para inhibir los sentimientos y regular sus emociones en situaciones y acontecimientos en que sí lo harían otros niños de su edad. Son muy emotivos dando la impresión de cierta inmadurez emocional apoyada en problemas de autoestima.

6. *Problemas físicos asociados:* Se han constatado dificultades motoras, problemas de audición y de lenguaje, dificultades relacionadas con el sueño y el control de esfínteres.

Además de los problemas y alteraciones referidas es frecuente constatar que los niños hiperactivos presentan otros trastornos asociados, en especial, trastorno negativista desafiante, trastorno disocial, trastornos de ansiedad y trastornos de aprendizaje.

Incidencia y curso evolutivo. ¿Afecta a muchos niños?

Se trata de un trastorno que afecta a un porcentaje considerable de niños en edad escolar. Se estima que aproximadamente entre el 3 y 5% de los niños escolarizados (APA, 2000) son diagnosticados con trastorno por déficit de atención con hiperactividad. Si los datos se consideran atendiendo al género, no cabe duda de que afecta en mayor medida a los niños varones, pues su incidencia aproximada en comparación con las niñas es de 4:1 y 9:1, según se considere población general o población clínica. En los últimos años han aumentado notablemente las consultas de padres preocupados por problemas de atención y dificultades académicas asociadas. Distintos estudios avalan esta tendencia, pues muestran que en población infantil, de los tres tipos del TDAH mencionados anteriormente, el tipo trastorno con predominio de déficit de atención es el más incidente, con porcentajes de niños afectados que oscilan entre el 4,5 y 9%. En segundo lugar, en términos de prevalencia, se encuentra el tipo combinado, que incluye síntomas de déficit de atención y de hiperactividad-impulsividad y afecta aproximadamente a un porcentaje entre 1,9 y 4,8%. El tipo con predominio hiperactivo-impulsivo es el que menos se diagnostica incidiendo en porcentajes de escolares que oscilan entre 1,7 y 3,9% (Brown, 2003).

Por otro lado, se trata de un trastorno cuyos síntomas persisten a lo largo de la vida. Es decir, si se analiza su evolución y pronóstico las pruebas indican que prevalece a lo largo del curso vital, si bien sus manifestaciones cambian con la edad. Aunque los porcentajes pueden variar, según la fuente consultada, los criterios diagnósticos manejados y los instrumentos empleados, se estima que aproximadamente el 80% de los niños diagnosticados de TDAH en edad escolar continúa presentando el trastorno en la adolescencia, entre el 30 y 65% seguirá con los síntomas en la edad adulta, y entre el 10 y 40% cumplen los criterios diagnósticos del trastorno cuando son adultos.

Asimismo, se aprecia que el perfil de comportamiento que muestran los niños hiperactivos cambia a lo largo del tiempo, de manera que los síntomas clínicamente puros de hiperactividad e impulsividad tienden a remitir, las deficiencias atencionales persisten a medida que progresa el curso evolutivo y se aprecian dificultades de organización y distribución temporal de tareas y actividades, que se incrementan cuando los adolescentes adquieren responsabilidades y compromisos, al tiempo que queda de manifiesto el déficit que mantienen en habilidades y estrategias para resolver problemas sociales.

Brevemente añadir que en los años preescolares la sobreactividad motora y la distracción en sí mismas no constituyen indicios sólidos del desarrollo del trastorno. Ahora bien, aquellos niños en los que estos síntomas permanezcan como relevantes pasados los cuatro años es probable que desarrollen el trastorno en la infancia y adolescencia. Los años escolares constituyen en muchos casos la prueba evidente del TDAH. Las exigencias que plantea la vida académica y social desarrollada en el colegio ponen de manifiesto las dificultades que los escolares tienen para controlar su comportamiento, prestar atención, inhibir su actividad, seguir las instrucciones, ajustarse a normas, quedando de relieve dificultades académicas (especialmente en lectura, escritura y cálculo), problemas de aprendizaje. Asimismo, en los casos más severos se observan comportamientos antisociales (cuestionamiento de las normas disciplinarias, pequeños hurtos, desafíos a la autoridad, etc.). En la adolescencia, en general, disminuyen la sobreactividad motora e impulsividad aunque las dificultades atencionales y complicaciones académicas y sociales son características. En esta etapa entre 25-35% son, además, diagnosticados con trastorno disocial y las preocupaciones de los adultos se relacionan básicamente con el ámbito social (relaciones con iguales) y consumo de drogas, sustancias tóxicas, etc. En la vida adulta, se estima que tan sólo entre 10-20% no presentan síntomas significativos y su funcionamiento social y profesional no está afectado. En el extremo opuesto, entre el 50-65% de los niños con TDAH son adultos que presentan los síntomas del trastorno y un 25% muestran en estas edades comportamientos antisociales.

Ahora bien, conviene señalar que la evolución de la hiperactividad y su pronóstico no sigue un patrón uniforme, regular e invariable en todos los casos identificados. El curso y trayectoria de los problemas diagnosticados no son siempre los mismos en su desarrollo y repercusión. En definitiva, la evolución de este trastorno no depende únicamente de un solo factor sino de la influencia y combinación de distintos factores, entre los que se encuentran los siguientes:

1. | Detección e identificación temprana del trastorno. Cuanto antes se diagnostique, antes será posible determinar el tratamiento y las medidas conductuales más adecuadas para atenuar su impacto.

2. | Áreas más afectadas. El pronóstico es más favorable cuando el impacto adverso se centra, sobre todo, en el rendimiento académico y no afecta a la adaptación social y familiar. En estos casos, el niño dispone de habilidades sociales que le permiten afrontar y compensar de manera más adaptada las dificultades escolares, inevitables en todos los casos. Sin embargo, la evolución es más negativa cuando coexisten además otros trastornos, especialmente trastornos de conducta.

3. Apoyo familiar y social. La estabilidad familiar constituye uno de los factores que protegen de un curso adverso que, probablemente, aparecerá cuando no se cumpla esta premisa. Los ambientes familiares caóticos, imprevisibles y desorganizados pueden acentuar los problemas dadas las dificultades cognitivas y limitaciones que presentan estos niños.

4. Apoyo psicológico y control del estrés por parte de los padres. Sobre esta cuestión volveremos ampliamente en las páginas siguientes.

Posibles causas explicativas de la hiperactividad. ¿Cuáles son las causas?

Por otro lado, el origen, las posibles causas de la hiperactividad son objeto continuo de investigación desde distintos frentes y con diferentes procedimientos, relacionando lesiones o accidentes cerebrales con síntomas de hiperactividad, induciendo experimentalmente con animales las causas que se estiman relacionadas, corroborando la coincidencia de los síntomas en antecedentes familiares y gemelos e indagando sobre la correspondencia entre factores ambientales y presencia del trastorno. Algunas de las hipótesis que son objeto de investigación en este campo tienen que ver con el origen biológico, funcionamiento cortical (sobreactivación o inhibición cortical), alteraciones bioquímicas implicadas así como con factores genéticos. No obstante, resulta difícil identificar una única causa o mecanismo explicativo de este trastorno, en su lugar es prácticamente unánime el acuerdo en torno a la existencia de múltiples causas. Ahora bien, los datos disponibles parecen evidenciar el papel más relevante de unas hipótesis sobre otras.

Así, entre las causas probables o factores implicados en el origen de la hiperactividad se apunta hacia alteraciones anatómicas y bioquímicas junto con factores genéticos que se prevén identificar en los próximos años gracias a los avances en genética molecular. En cualquier caso, aunque no se conozcan con precisión, se sabe que los factores biológicos guardan gran relación y que la contribución genética es muy destacada en este trastorno. Sin embargo, aún queda por aclarar el papel que en el origen desempeñan los factores del ambiente. No obstante, numerosos estudios revelan que ambientes adversos influyen negativamente en la aparición de los síntomas característicos.

Las investigaciones han avanzado en esta dirección y se han identificado algunos factores de riesgo. Sin embargo, cabe señalar que su presencia no significa que éstos sean necesariamente la causa de los problemas observados, si bien todo parece indicar que su ocurrencia aumenta la probabilidad de desarrollar hiperactividad. Entre estos factores, además de la predisposición genética, se encuentran: *a*) consumo de alcohol o tabaco durante el embarazo, mala alimentación y salud de la madre; *b*) complicaciones perinatales; *c*) mala salud del niño y retraso del desarrollo; *d*) condiciones socioeconómicas adversas y nivel educativo bajo (madre); *e*) aparición temprana de altos niveles de actividad en los primeros años y/o preescolar, y *f*) estilo educativo crítico y directivo en los primeros años. Cuando los indicios de hiperactividad aparecen, su evolución y pronóstico guarda relación directa con el estilo educativo, pautas y normas educativas que adoptan los padres respecto a sus hijos. Así pues, aunque la forma de educar a los niños no está en el origen de los problemas, sí contribuye a su evolución ya que la severidad y la persistencia de los síntomas dependen, en gran medida, de esta variable.

Finalmente, también se han identificado algunas de las variables que actúan a modo de protección respecto a la evolución adversa de los problemas hiperactivos, se trata de los siguientes factores protectores: 1) elevado nivel educativo de la madre; 2) ausencia de problemas de salud del niño afectado; 3) disponibilidad de habilidades cognitivas por parte del menor; 4) estabilidad familiar, y 5) pautas educativas coherentes, no excesivamente punitivas.

Por último, hemos de añadir que no existen pruebas concluyentes que asocien la hiperactividad con la dieta alimenticia o con la exposición al plomo, otras de las hipótesis investigadas en las últimas décadas.

Algunas preguntas y respuestas

A continuación se exponen algunas preguntas frecuentes que los padres preocupados por el alcance y repercusión del trastorno hiperactivo suelen formular a los expertos en la materia.

¿Son los niños hiperactivos más propensos a sufrir accidentes?

Los niños hiperactivos, debido a sus limitaciones cognitivas, no se paran a pensar antes de actuar y no controlan las ganas de hacer algo cuando quieren hacerlo. No piensan ni anticipan cuáles serán las consecuencias de aquello que desean hacer o ejecutar. Estas circunstancias unidas a su impulsividad les llevan a arriesgarse más de lo que lo haría cualquier otro niño, sin prever qué les puede ocurrir. Simplemente no se detienen a pensar qué ocurrirá después. La falta de control y de previsión de los acontecimientos futuros explican que sufran más caídas y accidentes, al tiempo que se exponen en mayor medida que otros niños no hiperactivos a situaciones potencialmente peligrosas.

¿Cómo influye la alimentación en la hiperactividad infantil?

El papel de la dieta alimenticia, en concreto de ciertos aditivos presentes en algunos alimentos, se basó en los planteamientos del doctor Feingold, quien argumentó que el comportamiento caótico, hiperactivo, de estos niños estaba relacionado con el consumo de ciertos conservantes y colorantes artificiales. Esta hipótesis no ha podido ser demostrada; por tanto, su apoyo se debe más a explicaciones especulativas que científicas.

¿Influyen los problemas y dificultades familiares en el origen de la hiperactividad?

En la actualidad es imposible atribuir el origen del trastorno a un único factor. Existen pruebas que subrayan el papel de los antecedentes familiares pero se ignora la influencia del ambiente familiar en el origen del mismo. Los indicios disponibles hasta el momento señalan que las influencias familiares adversas resultan relevantes cuando los síntomas han aparecido. Es decir, el ambiente familiar caótico y las relaciones familiares conflictivas influyen en la evolución y desarrollo del trastorno, pero se cuestiona seriamente que sean la causa del mismo.

2

Dificultades escolares, familiares y sociales del niño hiperactivo. ¿Cómo es la vida cotidiana?

Aun cuando son niños normales y su conducta es normal, la convivencia diaria es complicada por la gravedad de los problemas y su repercusión en la vida familiar y escolar. Las páginas siguientes están dedicadas a exponer cómo es la vida cotidiana con un niño hiperactivo, cuáles son los retos y dificultades de distinto orden que han de afrontar los padres.

Breve introducción. Repercusión en la familia. Consecuencias escolares y sociales

A modo de ejemplo:

Mi hijo no obedece. No parece escuchar cuando le hablan. Provoca conflictos en casa con la intención de molestarnos y enfadarnos. Apenas se entretiene, siempre está cambiando de actividad aunque la anterior aún no haya finalizado. Como consecuencia de ello el ambiente que se respira en la familia es tenso y las relaciones entre nosotros y nuestro hijo son cada día más difíciles y complicadas. A diario se producen conflictos por su comportamiento en el colegio, el profesor nos llama con frecuencia para informarnos de los incidentes en los que se ve implicado nuestro hijo. También nos desespera e irrita su desobediencia y negativa a hacer las tareas escolares que cada día trae después del colegio; además, las relaciones con sus hermanos son muy malas, las discusiones y peleas entre ellos son frecuentes.

No cabe duda de que la hiperactividad infantil no es sólo problema del niño afectado por los déficit de atención y alteraciones del comportamiento que presenta. El impacto adverso que este trastorno tiene sobre la vida cotidiana se deja sentir en casa y en el colegio y obliga a intervenir directamente a los adultos que conviven con él.

En realidad, dada la complejidad inherente a los problemas característicos (excesiva actividad, impulsividad, distracción, desobediencia, etc.), resulta fácil comprender que sus efectos se aprecien en todas las dimensiones y ámbitos en los que los niños hiperactivos se desarrollan. Si atendemos a la repercusión familiar, observamos que existe cierta tradición, entre investigadores y expertos, en analizar y estudiar la vida familiar, las relaciones de los menores hiperactivos con sus padres y hermanos. La importancia del tema deriva no sólo de las interacciones familiares marcadas, como reconocen fácilmente los padres, por los continuos conflictos que las alteraciones del niño hiperactivo originan en casa, también porque, como antes hemos mencionado, el pronóstico y evolución del trastorno en cada menor afectado está muy relacionado con la estabilidad familiar y la red de interacciones y apoyo que la familia presta al niño. Todo ello sin olvidar que existe un factor añadido de preocupación, se trata del riesgo que tienen los familiares directos de un niño hiperactivo de sufrir también el trastorno (se estima entre un 25 y 33% de riesgo).

El impacto negativo de los problemas en casa se detecta claramente en las relaciones que mantienen la madre y los hermanos con el menor afectado. Es claro que las interacciones de estos niños con sus familiares más directos son, por las propias peculiaridades del trastorno, más negativas, conflictivas y estresantes que las relaciones que otros niños de su edad que no tienen TDAH establecen con su familia más próxima.

Al principio, lógicamente, las madres se esfuerzan por estar a la altura de las exigencias y retos que les plantean los problemas y dificultades de sus hijos y así tratan de responder satisfactoriamente a los requisitos y demandas de éstos. En general, los niños hiperactivos necesitan más atención y buscan más ayuda de sus madres, quienes, a su vez, tienden a comprometerse e implicarse más intensamente en la tarea de fomentar la adaptación y el autocontrol de sus hijos e invierten más esfuerzo y dedicación en controlar el comportamiento caótico, desorganizado e imprevisto de los niños. Sin embargo, transcurrido cierto tiempo durante el cual las interacciones madre-hijo están marcadas por las limitaciones y excesos del propio niño y los intentos de compensación y control que realiza la madre, la experiencia diaria revela a ésta que no se corresponde su trabajo y esfuerzo con la mejoría que detecta en su hijo. Éste, pese a los esfuerzos de su madre, poco ha cambiado respecto a seguir las órdenes o instrucciones de los adultos, a controlar su comportamiento en las situaciones en que debe permanecer quieto, sentado, sin molestar, etc. El resultado de esta evidencia se traduce, respecto a la madre, en estrés, desánimo, percepción personal de incompetencia, reacciones que, en definitiva, suelen ir acompañadas de cierta intolerancia a las dificultades y problemas del niño y de menor sensibilidad a las interacciones con su hijo hiperactivo. A partir de este panorama se configuran relaciones conflictivas madre-hijo.

Sin embargo, las circunstancias varían con relación al padre. Las relaciones del niño hiperactivo con su padre son menos conflictivas y negativas, los menores tienden a seguir en mayor medida las instrucciones del padre y se ocupan en las tareas y obligaciones con mayor dedicación que si el adulto es la madre. Las interacciones con los hermanos resultan difíciles y problemáticas (se estima un riesgo aproximado de un 26% de compartir el trastorno). Los niños hiperactivos provocan conflictos y discusiones, son poco sensibles al razonamiento con sus hermanos cuando quieren hacer algo que molesta a éstos o cuando insisten en coger o manejar juguetes, libros, discos, etc. que sus hermanos utilizan normalmente. Éstos perciben la convivencia diaria confusos, irritados y cansados por la dinámica que existe en casa y, con frecuencia, están molestos y disgustados debido a la atención intensa y dedicación que los padres han de prestar a su hermano.

En líneas generales, la actuación de los padres suele estar definida por dos aspectos muy importantes:

- Exigencias respecto al rendimiento y progreso académico según lo que se espera del niño y en comparación a cómo se desenvuelven sus hermanos respecto a estas cuestiones.

- Preocupación por el incumplimiento reiterado, por parte del niño hiperactivo, de normas de convivencia y reglas (horarios para realizar las tareas, comer, dormir, responsabilidades individuales en la organización doméstica, etc.) que rigen el funcionamiento familiar. El niño con TDAH suele ignorar estas normas y hacer caso omiso a las indicaciones de los padres, circunstancia que desencadena discusiones, enfados y amenazas configurando, entonces, una dinámica familiar en la que se deterioran las relaciones entre sus miembros y se aminora la autoestima del niño hiperactivo.

Ante este panorama, progresivamente, los padres toleran menos los incumplimientos del niño y éste pasa a adquirir el perfil de niño problemático y difícil. Son frecuentes interacciones como, por ejemplo:

Si, en verdad, quieres hacer lo que te decimos ¿por qué finalmente no lo haces?
Aunque aseguras que no volverás a meterte en líos, al poco tiempo se te ha olvidado y todo es igual que antes...

No cabe duda de que la convivencia diaria con el niño hiperactivo y el enfrentamiento familiar producen alteraciones y desequilibrios en los padres, que sufren un estrés permanente, de ahí que en los últimos tiempos cobre vigor una nueva línea de trabajo en este campo que tiene como objetivo y destinatarios a los padres. Se ocupa de desarrollar programas y actuaciones para asesorar y prestar apoyo psicológico a los familiares directos que comparten la vida cotidiana con menores hiperactivos. El propósito de estas iniciativas consiste, además de asesorarles, en enseñarles cómo hacer frente a los retos diarios que suponen la impulsividad, dificultades para concentrarse y atender y la sobreactividad motora que caracteriza a los niños afectados. Al mismo tiempo se hace hincapié en subsanar el aislamiento social en el que, en ocasiones, se ve inmersa la familia, circunstancia que, a su vez, afecta de manera negativa en la vida conyugal, sobre todo, si los problemas básicos de la hiperactividad se acompañan de conductas que implican desafío, hostilidad y agresividad.

Sin embargo, los conflictos familiares no son las únicas fuentes de preocupación para los padres, se añaden, como hemos mencionado, las dificultades en el colegio y con el rendimiento escolar, por un lado, y las difíciles o nulas relaciones que mantienen sus hijos con amigos y compañeros, por otro.

Anteriormente se han señalado las dificultades escolares y los problemas de aprendizaje de estos niños como aspectos asociados al trastorno hiperactivo; sin embargo, a propósito de estas cuestiones, cabe añadir en estos momentos, que las dificultades que los niños afectados tienen para cumplir satisfactoriamente con las demandas que la organización escolar les exige se traducen en fracaso continuado o, en el mejor de los casos, en retraso escolar. Algunos datos indican que llegados a la adolescencia en torno al 60% de los niños hiperactivos ha repetido curso y aproximadamente el 35% de ellos abandona los estudios sin haberlos finalizado. Aquellos que sí logran acabar sus estudios lo hacen con notas por debajo del promedio de las obtenidas por sus compañeros no hiperactivos. Además gran parte de estos menores, aproximadamente entre 40-50%, reciben clases de apoyo y en torno al 10% forman parte de programas escolares específicos de ayuda para compensar sus déficit. En cualquier caso, la mayoría cuenta, al margen del horario escolar, con profesores que les asisten y ayudan para realizar las tareas académicas que diariamente deben completar.

Además de las limitaciones estrictamente escolares y relacionadas con el rendimiento, en ocasiones se suman los problemas de conducta, en forma de desafío, a los profesores o compañeros, y hostilidad que explican por qué entre el 15-25% de los niños hiperactivos escolarizados reciben notas de incidencia o sus padres son citados en el colegio para exponerles la situación y buscar soluciones. En el peor de los casos, pueden pasar períodos en casa o son expulsados del colegio. Añadir que los conflictos en el colegio se reproducen con los profesores; éstos ante los problemas evidentes de los alumnos tienden a comportarse más directivos, impacientes e intolerantes, dando lugar entonces a una espiral de conflictos de la que invariablemente el niño sale siempre afectado de forma adversa.

Por otro lado, las relaciones sociales del menor hiperactivo son fuente de preocupación por las experiencias de fracaso que habitualmente conllevan. Estos niños no establecen relaciones adecuadas con sus iguales porque su impaciencia, falta de concentración en las reglas que rigen las actividades grupales y su actividad permanente provocan en sus compañeros rechazo y hostilidad. Los problemas se agudizan si además el menor con TDAH es agresivo. Así pues, no cabe duda de que los programas terapéuticos han de atender al aprendizaje por parte de estos niños y su posterior puesta en práctica de habilidades sociales adecuadas (empatizar con el compañero, inhibir su comportamiento motor y/o agresivo, etc.) imprescindibles para garantizar su adaptación social y psicológica.

Cuando comienzan los problemas escolares. Obtiene malas notas

No cabe duda de que los primeros años de educación primaria constituyen el marco en el que las dificultades y problemas de los niños hiperactivos quedan de manifiesto, convirtiéndose desde entonces la vida y exigencias escolares en uno de los aspectos más estresantes y difíciles para el propio niño y sus padres quienes, a partir de entonces, tendrán que hacer frente a las exigencias académicas, en forma de tareas y deberes escolares que los niños han de realizar diariamente, así como a los problemas escolares y de comportamiento de su hijo, sin poder evitar las dificultades cotidianas que ya conocen en casa. Así pues, es normal que los adultos se planteen cuestiones como las siguientes:

¿Qué ocurre ahora, cuando comienza la escolaridad?
¿Por qué los problemas y dificultades se exacerban durante la escolarización?
¿Cómo explicar las dificultades de los niños especialmente en el ámbito escolar?

Cuando comienza la escolaridad se plantean nuevas exigencias y los problemas conocidos se expanden hacia otros contextos, es decir:

- Se añaden, a las dificultades conocidas, demandas de logros y resultados académicos
- El comportamiento (inquietud, desobediencia, excesiva actividad, etc.) con el que los padres estaban familiarizados se manifiesta claramente en clase y en el colegio.
- Otras personas (profesores, compañeros, etc.) se ven afectados e implicados.

El desajuste académico y el mal comportamiento de los niños hiperactivos es motivo de preocupación para padres y educadores porque en el colegio no sólo aprenden conocimientos y habilidades académicas, también es éste el lugar de encuentro con otros niños y, por tanto, aquí se relacionarán con iguales, aprenderán a compartir juegos, a adaptar sus deseos y demandas teniendo en cuenta que existen otros niños. En definitiva, es éste el ámbito propicio para aprender destrezas sociales y familiarizarse con las interacciones sociales. Sin embargo, es ahí donde la problemática asociada a la hiperactividad es más evidente, pues los niños hiperactivos no cumplen con las expectativas y demandas que el colegio exige y, en consecuencia, acumulan numerosos fracasos de los que serán testigos los profesores y compañeros además del propio niño y sus padres.

Veamos a continuación por qué y hasta qué extremo es importante y se ve afectado el niño y su familia.

El paso de los niños hiperactivos por el colegio está marcado por tres circunstancias bien conocidas por sus padres, a saber:

1. | *Llamadas y quejas reiteradas del profesor* sobre el comportamiento problemático del niño y su bajo rendimiento académico.

2. | *Calificaciones académicas pésimas* que les obligan a quedarse atrasados respecto a los demás compañeros y, con frecuencia, a repetir curso.

3. | *Recomendaciones e iniciativas de apoyo escolar extra* bien dentro de la organización escolar, o bien al margen de ésta, a través de profesores particulares y auxiliares que en casa apoyan y ayudan al niño.

Ahora bien, los problemas escolares del niño hiperactivo tienen dos vertientes claras y explícitas:

1. Comportamiento problemático, desobediente y disruptivo que se traduce en relaciones conflictivas con los compañeros y profesores.
2. Bajo rendimiento académico, dificultades de atención y pobres resultados escolares.

Las repercusiones que ambas circunstancias generan en todos los implicados se observan en los siguientes aspectos:

Respecto al niño

Las experiencias reiteradas de fracaso, reproches y reprimendas generan déficit de autoestima, pésimo concepto de sí mismo y pobre competencia personal. Resultan habituales las quejas de los adultos en términos de desatento, distraído, despistado, desorganizado, etc. Con frecuencia al niño hiperactivo se le reprocha no finalizar a tiempo las tareas, tener los trabajos atrasados e incompletos, distraerse mientras el profesor explica o cuando ha de realizar las tareas escolares, abandonar frecuentemente su asiento, molestar e interrumpir a los compañeros, etc.

Su comportamiento desatento y alborotador le convierte fácilmente en el protagonista de reprimendas y castigos, circunstancia que origina llamadas frecuentes a los padres, desde el colegio, para informarles de lo que sucede y concertar reuniones con el profesor. Es habitual que el profesor, desbordado por el comportamiento del niño y por su rendimiento, aproveche la entrevista para mostrar sus quejas por los conflictos y problemas en los que se ve inmerso el alumno hiperactivo, al tiempo que sugiere a los padres que adopten medidas y tácticas más efectivas para manejar el comportamiento disruptivo y problemático de su hijo. Los padres, por su parte, afrontan las reuniones con el tutor angustiados

Dificultades escolares, familiares y sociales del niño hiperactivo y frustrados por la realidad escolar de su hijo. En estos casos, no cabe duda de que el cruce recíproco de responsabilidades dificulta la comunicación eficaz entre padres y profesores y perjudica al niño, de manera que ambas partes debieran trabajar en cooperación y superar las diferencias y desconfianza que en ocasiones marcan las interacciones entre ellos.

En ocasiones, las entrevistas padres-profesor resultan en malestar y conflictos con el niño hiperactivo, que observa cómo las personas más significativas para él coinciden en la valoración negativa que efectúan sobre su actuación en el colegio, de modo que puede convertirse en el último eslabón de una cadena en la que tres elementos implicados (profesor versus padres versus niño hiperactivo) tratan de buscar explicaciones a lo que sucede y responsabilidades de la otra parte en la efectividad de las soluciones adoptadas. Ello sucede cuando, tras las reuniones en el colegio, los padres exasperados pierden la calma y reproducen ciertos reproches, como, por ejemplo: *«Eres perezoso, no quieres trabajar»*, *«Tendrás muchos problemas cuando seas mayor»*, *«Estamos avergonzados por cómo te va en el colegio y por cuanto nos cuenta tu profesor»*, *«Observa y aprende de tus hermanos, ellos no se meten en líos y no nos dan problemas»*, etc.

El niño, por su parte, promete e intenta seguir las indicaciones de los adultos, esto es, permanecer sentado, atento, terminar los trabajos a tiempo, evitar peleas, etc., sin embargo, pese a sus propósitos no logra comportarse tal como esperan de él. Es frecuente que tras mostrar signos de «arrepentimiento» por lo sucedido al poco tiempo la conducta que ha sido censurada vuelva a repetirse. En otras palabras, el esfuerzo e intentos que pone en práctica para mejorar su conducta no encuentran recompensa, de ahí la pérdida de motivación hacia el aprendizaje escolar y el desinterés por el colegio que a veces se constata en estos casos.

En cuanto al bajo rendimiento académico y las dificultades de aprendizaje, indicar que las limitaciones que presentan los niños hiperactivos se centran básicamente en la lectura, escritura y cálculo y repercuten, lógicamente, en las calificaciones, habitualmente por debajo de las que obtienen sus compañeros. Por este motivo se quedan rezagados respecto a los demás alumnos, repiten curso o, si acaso pasan a otro nivel, llevan consigo el retraso escolar que se agrava, así como el rol de niños difíciles y problemáticos que les acompaña.

Respecto a los padres

Los padres ponen en práctica las pautas educativas que conocen y que han funcionado con otros hijos aunque, ante los problemas que presenta el niño en relación con el aprendizaje escolar y el colegio, se sienten preocupados por las consecuencias que la situación puede acarrear para su hijo. Al mismo tiempo están decepcionados y frustrados porque las dificultades y problemas a los que han de hacer frente no se corresponden con las expectativas de aprendizaje y progreso que tienen depositadas en el niño. A ello se añaden sentimientos de culpa fundamentados en la ignorancia de la/s causa/s del trastorno (con frecuencia se sienten culpables por negligentes), tienden a atribuirse a sí mismos y a sus métodos educativos el fracaso que el niño está obteniendo en el colegio. También suelen estar confundidos porque desconocen la dirección correcta que han de seguir, de modo que ante una situación que se les antoja difícil y desconocida, en cuanto a sus efectos y consecuencias, no saben qué hacer.

Respecto al profesor

El comportamiento inquieto, desorganizado, disruptivo y molesto del niño hiperactivo repercute en las estrategias y métodos que adoptan los profesores, quienes suelen comportarse de manera más prohibitiva y controladora. No obstante, los intentos de control que ponen en práctica (castigos sin recreo, amenazas de llamar a sus padres, etc.) así como las llamadas de atención y, en ocasiones, cierta reorganización del aula suelen resultar fallidas, complicándose entonces la situación. En consecuencia, las relaciones profesor-alumno hiperactivo se tornan más negativas y difíciles cuantas más experiencias de fracaso se acumulan tras los distintos métodos que trata de emplear el profesor para corregir los problemas y dificultades.

■ *Orientaciones prácticas para los padres*

A continuación se exponen algunas indicaciones y directrices para ayudarle a usted, como padre / madre, en su tarea de afrontar con éxito las dificultades de su hijo en el ámbito escolar.

- Procure crear un clima de confianza y colaboración con el profesor de su hijo. Debe lograr que la comunicación con él sea fluida y eficaz.
- Cuando tenga prevista una cita en el colegio de su hijo, prepárese para la reunión con el profesor antes de asistir a ella. No se deje guiar por la improvisación cuando mantenga alguna entrevista con el profesor. Si se prepara para la cita, reflexionando sobre las dificultades del niño y las posibles soluciones, probablemente se sentirá más seguro/a y confiado/a en los resultados. Con este propósito le sugerimos que:

  a) Reflexione sobre los problemas que el tutor puede plantearle y prepare las preguntas que usted haya pensado formularle.

b) Sea empático/a, reconozca y apoye el trabajo que realiza el profesor.

c) Evite mostrar hostilidad y crítica hacia el desempeño profesional del tutor.

d) Hágale partícipe de su interés por apoyar en casa los esfuerzos e iniciativas que él emprende en el colegio para mejorar el comportamiento y el rendimiento escolar de su hijo hiperactivo. Pídale sugerencias y coméntele posibles iniciativas que a usted le gustaría adoptar para mejorar los problemas que tiene su hijo.

e) Sea realista respecto a las expectativas depositadas en el rendimiento y ejecución del niño. No exija al profesor resultados que pueden ser improbables dadas las posibilidades de su hijo. Usted conoce mejor que nadie al niño y en función de su conocimiento ha de esperar logros razonables.

- Supervise con frecuencia el trabajo de su hijo en el colegio. Con este objetivo, solicite citas frecuentes para hablar con su profesor. Programe y fije anticipadamente con él/ella los compromisos de reuniones a lo largo del trimestre para supervisar el desarrollo escolar de su hijo. El tutor probablemente estará de acuerdo y se sentirá aliviado al comprobar que ustedes muestran preocupación e interés y participan activamente en el desempeño escolar de su hijo. Además, este pacto o acuerdo de colaboración entre ambas partes, padres/profesor, repercutirá favorablemente en el niño.

- Acuerden un sistema para apoyar los progresos académicos de su hijo cuando llega a casa. No lo deje pendiente de la improvisación. Aclare con el profesor cómo y cuándo usted ha de favorecer en casa los logros que realiza el niño en el colegio.

En estos casos, es útil que el profesor remita a los padres un breve informe que, al principio, puede ser diario y a medida que se observan progresos en el comportamiento y rendimiento del menor, semanal, en el que se valoran los resultados del trabajo que ha efectuado el niño. Según esta valoración los progenitores, tras recibir el informe, proporcionan recompensas inmediatas o retiran fichas u otros privilegios que ya había adquirido el niño. Se trata de un sistema de actuación que conlleva enormes ventajas, pues al intervenir coordinadamente en los dos ámbitos más significativos para el niño, en el colegio y en casa, se logran cambios en la conducta y en el desempeño escolar de éste, además de favorecer la implicación de los adultos e intercambiar puntos de vista e iniciativas con un objetivo prioritario: mejorar los problemas del niño hiperactivo y aumentar su rendimiento escolar.

- Hable con el profesor acerca de las tareas que el niño ha de realizar en casa. Procuren que se trate de actividades asequibles según sus posibilidades. Fijen los objetivos que el profesor estima imprescindibles y cuando el niño se esfuerce y realice las tareas escolares usted DEBE RECOMPENSARLE con muestras de aprobación, privilegios, etc.

Resultará más eficaz no abrumarle con tareas excesivas, complejas, según sus capacidades, y reiterativas en cuanto al contenido y forma de presentación. Es más recomendable comprometerse con actividades escolares breves, acordes con las posibilidades de éxito del niño y adaptadas, con dibujos, colores, personajes conocidos, etc., para lograr su atención y concentración.

Los profesores son sensibles a la problemática de la hiperactividad y conocen que han de introducir algunos cambios y adaptaciones que tienen que ver con el contenido, complejidad y forma de presentación de los ejercicios asignados a sus alumnos hiperactivos. Estos niños progresan y se concentran con más facilidad cuando las actividades escolares se presentan alternando señales, colores distintos, formas diferentes y cuando se exponen tareas complejas combinadas con otras más sencillas y asequibles. En definitiva, se trata de incentivar la atención favoreciendo las posibilidades de éxito del menor con TDAH respecto a las exigencias y demandas académicas.

- Disponga en casa los medios idóneos para que su hijo realice el trabajo escolar evitando, en lo posible, distraerse. Es recomendable adoptar las siguientes iniciativas:

a) Lugar idóneo. Elija el lugar más apropiado en su vivienda para que el niño realice habitualmente las tareas. Tenga en cuenta que su hijo debe identificar y asociar dicho lugar con el trabajo y las exigencias académicas, por tanto, evite zonas de tránsito en la vida familiar o estancias en las que se reúne la familia durante el día o recibe a familiares y/o amigos. Si hemos de definir de alguna manera este «espacio» destinado a cumplir con las demandas diarias de trabajo escolar le recomendamos que, en cualquier caso, se trate de una habitación/estancia alejada de ruidos, distracciones e interrupciones.

A modo de ejemplo, no es aconsejable ubicar al niño, cuando se le exige trabajo y concentración, en la cocina, salón o comedor familiar.

b) Rutina diaria. Programe una rutina diaria con relación al estudio y las actividades escolares que su hijo diariamente ha de realizar en casa, tras la jornada escolar. Acuerde con el niño la secuencia de actuaciones en la que se inserta el trabajo escolar y traten de cumplirla diariamente. Al proceder de este modo, está usted organizando las responsabilidades escolares diarias en hábitos que, con el tiempo y si se adaptan a la rutina programada, le será fácil respetar a su hijo. En definitiva, se trata de organizar e integrar el trabajo en la vida diaria evitando la desorganización y el caos a la hora de cumplir con las tareas escolares.

A modo de ejemplo le proponemos la siguiente actuación: Al regresar del colegio conviene dedicar un tiempo, delimitado según las necesidades de cada niño, a descansar procurando que éste se distraiga con actividades que le relajen pero no le agoten. Después tomar una merienda y a continuación empezar a realizar los ejercicios y actividades propuestos ese día por el profesor. Es recomendable indicarle, brevemente, evitando reproches o acusaciones de episodios o días anteriores, qué harán a continuación, es decir, cuál es la secuencia de actuaciones que, por otro lado, él ya conoce y ambos han acordado.

c) Emplee instrucciones precisas y concretas encaminadas a comenzar el trabajo y realizar los ejercicios. Evite las discusiones sobre las actividades escolares.

d) No olvide proporcionar apoyos y reconocimiento inmediato a su hijo tras el trabajo realizado. Se trata de reconocer y recompensar el esfuerzo que el niño realiza diariamente.

- Hable con la dirección del centro escolar y el tutor, pídale ayuda y apoyo. Consulte la posibilidad de realizar leves ajustes individuales de las exigencias y objetivos curriculares, así como ligeras adaptaciones estructurales y funcionales en el aula para facilitar que su hijo realice con éxito sus obligaciones escolares.

Concierte una entrevista con el psicólogo del colegio, explíquele la situación, pídale que apoye sus demandas de adaptación curricular para su hijo. Insista en la necesidad de acomodar las exigencias para facilitar el aprendizaje del niño y asegurar experiencias de éxito en el colegio. Subraye, asimismo, que sus peticiones no van encaminadas a obtener ventajas para su hijo en detrimento de los demás alumnos. Debe aclarar que su objetivo es procurar unas condiciones académicas favorables, que tengan en cuenta las limitaciones cognitivas y de autocontrol características de los niños con TDAH, para que aumenten las posibilidades de éxito de su hijo respecto a las exigencias académicas a las que ha de responder.

- Los expertos en el tema proponen que, para estos casos, las adaptaciones recomendadas en el colegio pueden estar referidas a las siguientes cuestiones:

a) Reducción de la cantidad de trabajo que se le exige al alumno hiperactivo.

b) Adaptación del nivel de exigencia de las tareas requeridas teniendo en cuenta las posibilidades del niño con TDAH.

c) Disponer de asiento o ubicación «preferencial» en el aula, alejado de ventanas y puertas, próximo al profesor a fin de evitar distracciones.

d) Considerar la posibilidad de realizar las evaluaciones sin limitaciones estrictas de tiempo.

- En síntesis, RECUERDE que es importante contar con el apoyo del profesor. Trabaje en colaboración con él.

Cuando no recibe invitaciones de sus compañeros. No tiene amigos

La experiencia diaria de los padres de niños con TDAH les afecta, sintiéndose desarmados, estresados y desconcertados. Reconocen que su hijo es tan inquieto, desinhibido y absorbente que les exige permanecer continuamente en alerta, supervisando, controlando y atenuando los conflictos familiares y escolares en los que de un modo u otro se ve implicado.

Este comportamiento molesto, disruptivo, fuera de control, indisciplinado, etc., centra mayoritariamente la preocupación de los padres; sin embargo, cuando las tensiones familiares se relajan y dan paso a la reflexión y a los intentos de comprensión de lo que sucede, perciben que sus hijos tienen otras carencias, además de las ya reconocidas limitaciones de autocontrol, y es que apenas tienen amigos. No es éste el momento de abundar en la importancia que adquieren las relaciones entre iguales, tan sólo cabe reiterar ahora que los niños con TDAH suelen tener dificultades de integración social, lo que explica las escasas oportunidades que tienen para relacionarse, jugar, participar en actividades y aventuras infantiles, compartir juegos y diversiones con niños de su edad.

Suele ser una experiencia muy estresante para los padres constatar que su hijo no recibe invitaciones para participar en fiestas de cumpleaños, para ir de excursión o simplemente para dormir en casa de otros niños. No recibe llamadas de teléfono para salir a jugar y no cuentan con él cuando los compañeros planifican u organizan excursiones y fiestas, comportamientos e iniciativas que, en definitiva, son habituales en las relaciones entre iguales. Si en alguna ocasión los padres preguntan a los compañeros por qué no juegan con su hijo, éstos suelen responder que, en realidad, el problema es que no sabe jugar, va a su aire..., interrumpe continuamente, les molesta, no respeta su turno y hace caso omiso a las reglas y normas por las que se rige el juego en esos momentos. El problema es que el niño trata de decidir a qué jugar y cómo han de hacerlo los demás. Lógicamente, los amigos se enfadan, discuten con él y terminan evitándole. Estas alteraciones del comportamiento explican que los niños con TDAH no sean populares, no tengan amigos, se vean rechazados y excluidos en los juegos cooperativos y no invitados a participar y compartir actividades sociales.

Las exigencias imprescindibles para formar parte de un grupo suponen compartir y respetar las reglas por las que se rige, acatar los códigos asumidos por todos los miembros y sentirse cómplices en las iniciativas que se derivan de los propios juegos. Estos requisitos que, en el ámbito individual, exigen atención, autocontrol e inhibición de las propias conductas constituyen, como antes se ha indicado, los déficit esenciales de los niños con TDAH.

Por otro lado, las claves para ser aceptado por un grupo son tan sutiles (una mirada, muestra de asentimiento, entonación de voz en situaciones comprometidas, etc.) que pasan normalmente desapercibidas para estos niños. Ellos no perciben las señales e indicaciones que forman parte, implícitamente, de las interacciones sociales. Así pues, el escaso reconocimiento de los indicios que apoyan los contactos entre iguales explica, en gran medida, que los menores hiperactivos permanezcan relegados del grupo de compañeros y se les trate con indiferencia. En realidad, los propios niños están desconcertados ante la situación que viven e ignoran qué sucede realmente. Es previsible que ante los «desplantes» y omisiones frecuentes reaccionen inhibiéndose, retrayéndose o con hostilidad. Reacciones que, en cualquier caso, perjudican y alteran su adaptación social.

Asimismo, las complicaciones para asegurar la amistad y relación con otros niños se agravan cuando a la impaciencia característica de este trastorno se añaden impulsividad verbal, hostilidad y desafío hacia otros compañeros, comportamientos que suelen derivar en enfados, peleas y agresiones. Factores que, en conjunto, contribuyen a que los niños hiperactivos adquieran fama, entre sus iguales, de problemáticos.

Los fracasos acumulados y repetidos tras los intentos que, por sí mismo o a través de los profesores o hermanos, realiza para tener amigos y ser aceptado en un grupo repercuten en el niño con TDAH emocional y afectivamente. Los conflictos continuos en el medio social y la experiencia de fracaso consecuente, unidos, por un lado, a las reacciones habituales de los adultos en forma de críticas, reproches, etc., y, por otro, de sus compañeros que le rechazan y aíslan, le conducen a tener un pésimo concepto de sí mismo, afectan a su autoestima y a sus habilidades de competencia personal.

Los padres de estos niños, acostumbrados a intervenir en las situaciones conflictivas que sus hijos desencadenan, sufren ante la vivencia real del aislamiento de sus hijos. Sobre todo, porque al no poder estar presentes cuando se establecen las relaciones sociales, no tienen posibilidad de mediar y sacar a su hijo de un conflicto que al producirse tiene muchas probabilidades de salir perdiendo.

Orientaciones prácticas para los padres

A continuación encontrará algunas indicaciones y directrices para ayudarle a su hijo a mejorar sus relaciones con amigos y compañeros. Es recomendable que adopte estas u otras iniciativas similares, a saber:

1. *Planifique oportunidades* para que su hijo establezca *contactos sociales*. Invite a casa a otros niños, amigos,

compañeros del colegio, vecinos, amigos de los hermanos, etc. Aproveche los fines de semana y «fechas señaladas» (comienzo de las vacaciones de Navidad, cumpleaños, onomásticas, etc.) para organizar celebraciones en casa a las que asistan otros niños. En estas ocasiones elabore un «plan de juegos», es decir, invite a su hijo a pensar y planificar las actividades y juegos que puede realizar en casa con su amigo o invitado. Es probable que se canse pronto de jugar a determinados juegos y cambie al poco tiempo de actividad. Esta posibilidad es real y usted está acostumbrado/a a que así suceda; por tanto, antes de recibir en casa a otros niños, ha de prever cómo ocupar el tiempo de ocio, qué actividades pueden resultarles atractivas y mantenerles distraídos.

2. No olvide *supervisar* con frecuencia el comportamiento de su hijo mientras juega con otros niños. Observe periódicamente cómo es su relación. Debe estar atento/a a cualquier indicio de confrontación y enfado.

3. Aunque muchos padres temen el comportamiento de su hijo en situaciones públicas, no deje pasar la oportunidad de ejercitar y desarrollar, en primera persona, habilidades y contactos sociales con otras personas mientras su hijo le acompaña. Mediante estas experiencias usted le ofrece un *modelo de conducta adaptado* en dichas situaciones que él tendrá oportunidad de observar e imitar posteriormente.

4. Intente *ensayar y ejercitar en casa* distintas habilidades y conductas implícitas en las habituales interacciones sociales de los niños. A modo de ejemplo, proponemos compartir cosas, respetar turnos, pedir los juguetes en lugar de quitarlos sin consentimiento, preguntar a los niños por sus intereses en el juego, etc.

5. Aproveche las *experiencias y encuentros sociales* con otros niños (en el parque, paseando, reuniones con primos, vecinos, etc.) para hablar posteriormente con su hijo, cuando ya estén casa, acerca del comportamiento de esos niños durante el juego. Subraye cómo actuaron cuando querían subir al tobogán, jugar con la pelota de su amigo o compartir un juguete.

6. Tenga en cuenta las actividades que se organizan en la zona donde residen e inscriba a su hijo en deportes, *hágale partícipe de grupos de niños* que se reúnen periódicamente y organizan excursiones, juegos, etc. y facilite su asistencia a campamentos. Debe saber que todas estas situaciones comparten dos elementos comunes que benefician a su hijo, por un lado, se realizan actividades estructuradas y organizadas de antemano bajo la supervisión y control de adultos y, por otro, participar en ellas le permite a su hijo iniciar y conservar relaciones con otros niños y compañeros.

7. Tenga presente que su hijo se beneficiará más de actividades que no le exijan permanecer quieto, sentado, escuchando atentamente instrucciones específicas durante mucho tiempo. Al contrario, son aconsejables iniciativas y actividades deportivas que le permitan *movilidad y ejecución personal*.

8. Ocúpese de que su hijo, si es posible, acceda a los juguetes, cromos, libros de aventuras, etc., que actualmente *despiertan el interés* entre los niños. Determinados personajes, reales o ficticios, atraen, por temporadas y épocas, la curiosidad y motivación de los menores y se convierten en el tema principal de sus conversaciones e interacciones. Si su hijo tiene conocimiento y está familiarizado con estas aficiones, le resultará más fácil intervenir y participar, cuando esté en el colegio, en conversaciones de grupo y en juegos sobre esta temática.

9. Esté atento a las *manifestaciones de agresividad* a las que su hijo puede estar expuesto. Es posible que usted supervise los programas de televisión que el niño ve, sin embargo, de muy poco le servirá este comportamiento si no se limitan posibles reacciones agresivas en el entorno más próximo. Por otro lado, procure estar informado/a y atento/a respecto a las amistades de su hijo. En ningún caso, justifique y tolere los amigos que han sido agresivos en el juego o en las relaciones con el profesor en favor de la necesidad que su hijo tiene de establecer relaciones sociales. Recuerde que lo importante es la calidad y adaptación de las relaciones, no mantener interacciones sociales a cualquier precio.

10. En cualquier caso, ocúpese de apoyar y *fortalecer la autoestima de su hijo*. No debe exponerle a situaciones sociales en las que probablemente tenga dificultades para ser aceptado. Procure asegurar el éxito en los contactos sociales en los que participe su hijo por encima de expectativas no realistas según las posibilidades del niño. No espere más de lo que en realidad puede hacer, especialmente en situaciones sociales complicadas, bien por el número amplio de compañeros implicados o bien, por las exigencias de colaboración que las actividades previstas requieren entre ellos.

Cuando fallan los métodos de disciplina habituales. No sabemos qué hacer

Los problemas asociados al TDAH suelen estar en el origen o median los frecuentes conflictos y disputas familiares y conyugales. Esta circunstancia, que constituye una evidencia clara y diaria para los padres afectados, está avalada por las investigaciones científicas que han puesto de manifiesto que los niños con TDAH contribuyen a alterar considerablemente la vida familiar, perturbar las relaciones entre los padres e incrementar su estrés.

La convivencia y rutina tan conflictiva originan en los padres enfados y frustraciones, que aumentan cuando aprecian que las estrategias educativas y métodos de disciplina que hasta el momento conocían y habían puesto en práctica con otros hijos no funcionan con este niño. La experiencia personal, asociada al fracaso que acumulan al intentar resolver los conflictos del modo y manera que conocen, origina en los padres consecuencias personales y familiares que podemos sintetizar en los siguientes apartados:

1. Incertidumbre, cansancio, agotamiento emocional, frustración y autocrítica en términos de negligencia o ineficacia en la educación de su hijo. Es frecuente que los progenitores se pregunten:

> *¿Qué está sucediendo?*
> *¿Qué estoy haciendo mal?*
> *¿Dónde me he equivocado?*

2. A los padres les preocupa la crítica y censura de la que pueden ser objeto desde el propio entorno familiar (abuelos, hermanos y familiares), escolar (profesores, dirección del centro escolar) y profesional (compañeros, amigos, etc.). Esta preocupación se asienta en los comentarios, observaciones y sugerencias, sutiles no explícitas, que escuchan en relación con los problemas y dificultades de sus hijos. A modo de ejemplo, «Debes replantearte la forma que tienes de educar al niño», «Aparentas poca autoridad para con tu hijo», «Apenas le dedican tiempo», «Le consienten todo, no le reprenden», etc.

3. En otro sentido, los progenitores pueden «perder el control», entonces aumentan las disputas y discusiones y la confrontación padres-hijo es más intensa y duradera. En consecuencia, la convivencia familiar se deteriora. Con frecuencia ello va acompañado de críticas y reproches recíprocos entre ambos padres que se censuran mutuamente por su tolerancia excesiva versus exigencia desmesurada para con el niño. Al mismo tiempo suelen aparecer sentimientos de culpa por los escasos resultados positivos que aprecian en el comportamiento del niño y su rendimiento escolar.

En este contexto las relaciones padres-hijo son cada día más difíciles y hostiles, al tiempo que disminuyen progresivamente las posibilidades de resolución satisfactoria de los problemas en casa; sobre todo, los contactos, las interacciones positivas, las muestras de cariño y afecto entre padres-hijo son escasas y breves.

4. Se afianza el perfil del niño como problemático e «incontrolable», al tiempo que se consolida la tendencia a responsabilizarle de los conflictos y alteraciones que se producen en la vida familiar.

Conflictos familiares: ¿Cuándo se originan? ¿Qué sucede?

En general, las quejas y preocupaciones que manifiestan los padres de estos niños se refieren al comportamiento indisciplinado y ajeno a normas que caracteriza a su hijo. En concreto, dos son los aspectos que suelen desencadenar los conflictos familiares:

1. No comportarse de acuerdo con las instrucciones/ órdenes de los propios adultos. Es decir, ignorarlas, hacer caso omiso de las mismas, desobedecer, etc.

2. | No actuar de acuerdo con las normas establecidas en la vida familiar.

Los comportamientos de indisciplina y desobediencia quedan especialmente de manifiesto en situaciones y circunstancias de la rutina diaria familiar, y su incidencia es tan relevante que alteran y perturban las relaciones familiares dando lugar, como antes se ha indicado, a conflictos y discordia familiar y parental. Algunas de las situaciones y acontecimientos comunes que están en el origen de los conflictos familiares por la conducta del niño hiperactivo son:

- Levantarse para ir al colegio.
- Comer a tiempo, sin interrupciones que obliguen a prolongar la duración de la comida.
- Cumplir con el horario de sueño acordado.
- Hacer las tareas escolares.
- Cumplir con sus quehaceres domésticos: ordenar su habitación, mantener en orden su ropa y juguetes.
- Cuando se reciben visitas de familiares o amigos.
- En lugares públicos, consultas médicas, tiendas, etc.

Lógicamente, antes de considerar la posibilidad de que su hijo tenga algún trastorno psicológico o que su comportamiento problemático pudiera ser explicado por limitaciones psicológicas, los padres adoptan distintas **estrategias y métodos de disciplina para corregir** y controlar el comportamiento indisciplinado y disruptivo de su hijo. Algunas de las **estrategias** más **frecuentes** consisten en:

- Ignorar al niño con la expectativa de que al no prestar atención a su conducta éste no volverá a repetirla. Sin embargo, al respecto hemos de señalar que los niños hiperactivos tienden a repetir y persistir en su comportamiento disruptivo hasta que reciben atención.

- Dar órdenes, instrucciones y directrices normalmente restrictivas (exigiendo que interrumpan lo que están haciendo) e instrucciones directivas (encaminadas a que el niño haga aquello que los padres demandan en ese momento).
- Enfados seguidos de reproches y amenazas verbales.
- Castigos (físicos y/o retirada de privilegios que antes había conseguido o estaban disponibles para él).

En realidad, la **conflictividad familiar** que tiene en su origen el comportamiento del niño se desarrolla según una **secuencia** que podemos describir tal como sigue:

1. | Los padres, madre habitualmente, dan instrucciones y órdenes encaminadas a que el niño realice, según sus directrices, las actividades, conductas o tareas previstas o cumpla con sus responsabilidades familiares.

2. | Dichas instrucciones no van seguidas de la conducta esperada por parte del niño. Éste desobedece, ignora las órdenes de su madre, realiza cualquier otra actividad al margen de la que antes se le ha indicado y se explica diciendo que estaba pensando en otra cosa o simplemente se ha olvidado de aquello que le decían.

3. | El comportamiento del niño genera en sus padres frustración, cansancio, irritación y decepción.

4. | Los progenitores, cuando han visto fracasar otras tentativas de control y modificación, como, por ejemplo, intentar dialogar con el niño, persuadirle y razonar con él sobre su comportamiento, suelen responder con reproches, castigos y amenazas. Ahora bien, si los «episodios» son muy frecuentes, se repiten diariamente, los padres pueden desistir de sus esfuerzos y

tolerar que el niño haga lo que quiera, limitando, entonces, su actuación a ocasionales amenazas. En estos casos, los adultos eluden reproducir las órdenes e insistir en las responsabilidades y obligaciones del niño en casa, ellos asumen los «deberes» de su hijo y comienza así cierta tolerancia hacia el comportamiento disruptivo del niño.

5. No obstante, los conflictos reiterados y la escasa respuesta favorable del niño repercuten en los padres y generan algunas de las siguientes consecuencias:

a) Negación de lo que sucede.
b) Sentimientos de culpa por otras actuaciones pasadas que no repercutieron de forma favorable en el comportamiento del niño.
c) Preocupación por las consecuencias que las estrategias disciplinarias que utilizan habitualmente (castigos, amenazas, etc.) pueden tener para el niño, dada su naturaleza y frecuencia.
d) Aceptación de las circunstancias y problemática de su hijo.
e) Toma de decisiones respecto a consultar a profesionales para que les orienten y asesoren.
f) Planteamiento e inicio de un plan de actuación.

Orientaciones prácticas para los padres

Se exponen a continuación algunas indicaciones que le ayudarán a manejar el comportamiento de su hijo en casa:

1. *Póngase en el lugar* de su hijo. Comprenda que su comportamiento indisciplinado y desobediente no responde a una intención deliberada de fastidiarle o desafiarle.

2. Trate de juzgar la realidad con distintos prismáticos. *No sea exigente e intransigente.* Enfádese sólo por lo realmente importante. Si reflexiona sobre ello comprobará que buena parte de los conflictos y disputas que mantiene con su hijo, en realidad, no merecen tanto enfado y hostilidad.

3. Evite los *castigos desproporcionados* y aquellos que se proponen para mañana, la semana o el mes siguiente. Recuerde que recurrir invariablemente al castigo para controlar y manejar la conducta de su hijo invalida la utilidad del mismo, puede afectarle emocionalmente y merma su autoestima. Si cree que esto sucede en la actualidad, reflexione sobre ello y pregúntese cuál era su propósito al castigar a su hijo y si al hacerlo ha servido para algo. Posiblemente las respuestas a ambas cuestiones le harán desistir en el futuro de repetir la experiencia de castigar sin buscar un objetivo claro.

4. En cualquier caso, es preferible *castigar* mediante la *carencia o retirada de premios* ya accesibles que a través de castigos físicos. Recuerde reforzar, premiar, alabar y recompensar mediante halagos y signos de aprobación (mirada afectuosa, sonrisa, caricias, etc.) los logros diarios y esfuerzos que su hijo realiza para inhibir su comportamiento disruptivo y comportarse como se espera de él.

5. Procure ser *coherente y consistente* en la aplicación de normas y reglas de disciplina. Esfuércese en mantener el control, no se deje llevar por la ira, recuerde que, pese a los esfuerzos que realiza, su hijo no logra autocontrolarse como a usted le gustaría.

6. Después de los enfados dé la oportunidad a su hijo de justificarse y acepte sus disculpas. A continuación, *recuerde las normas* e insista en que debe cum-

plirlas y adaptarse a las reglas acordadas y conocidas por él. No olvide reforzar y apoyar los **intentos de solución** que su hijo pueda plantearle; de este modo, está usted transmitiéndole confianza en sus posibilidades y asegurando su autoestima.

7. Aprenda a *observar, anticipar* y *planificar. Observe* el comportamiento de su hijo, *analice* las situaciones más comprometidas en casa y en situaciones públicas y *anticipe* las dificultades. Programe la vida familiar manteniendo rutinas y hábitos que el niño conozca, ello le ayudará a ir ajustándose a las normas. En la medida de lo posible evite la improvisación y en caso de alteraciones de la rutina diaria comuníqueselo previamente; de este modo él ganará en control e inhibición de su comportamiento.

8. *Negociación* mejor que *Imposición.* Trate siempre de NEGOCIAR con su hijo y acuerde con él las obligaciones y quehaceres que, a su juicio, debe realizar en casa. Si reflexiona sobre ello observará que al proceder de este modo ambos obtienen amplios beneficios. Si acuerda con su hijo normas y obligaciones, sabiendo que él puede cumplirlas, le está ayudando a autocontrolarse puesto que se ha implicado en el acuerdo. Además, usted podrá pedirle responsabilidades al haberse comprometido y en caso de incumplimiento de dichas normas el coste emocional previsiblemente será menor.

9. *Evite* la espiral que conduce a *irritación, hostilidad y frustración* que causan las malas relaciones en casa tanto para su hijo como para usted. Para lograr este propósito es recomendable tomar en consideración los siguientes aspectos:

   a) No se plantee grandes objetivos. Concéntrese en los logros diarios.

b) Organice la vida familiar en torno a rutinas, hábitos y horarios que permitan regularizar el comportamiento de su hijo y trate de evitar la sobreestimulación ambiental (ambientes multitudinarios y ruidosos, exceso de luces, etc.).

c) Deseche las ideas generales y comúnmente admitidas sobre la educación y el comportamiento infantil que pueden afectarle de manera adversa («Los hijos han de obedecer», «Los padres somos los responsables de su educación para lo bueno y no tan bueno», etc.).

10. Recuerde que el enfado y el malestar comprensible que le origina el comportamiento activo, incontrolado e indisciplinado de su hijo no puede imponerse y relegar las muestras claras y explícitas de cariño y afecto hacia él. El niño debe observar que cuenta con su **apoyo y ayuda**. Si reflexiona sobre ello comprobará que las dificultades, exigencias y experiencias de fracaso a las que hace frente su hijo requieren contar con su dedicación y apoyo incondicional.

11. Procure diseñar un **plan de actuación** para hacer frente a los problemas y dificultades que debiera estar regido por la estabilidad, consistencia y regularidad en su comportamiento.

Algunas preguntas y respuestas

A continuación se exponen algunas de las cuestiones más frecuentes que los adultos suelen plantear al experto en relación con la temática que hemos desarrollado en páginas anteriores.

Dadas las experiencias de fracaso acumuladas en el colegio, sus relaciones sociales, etc., se ha mencionado que su nivel de autoestima no es muy elevado. Aunque en las situaciones inmediatas, a corto plazo, su justificación como padre/madre puede neutralizar alguna crítica y censura ante hechos o acontecimientos concretos, recuerde que su «capacidad de influencia» disminuirá a medida que aumente y se extienda el entorno social en el que el niño esté inmerso. Por este motivo le beneficiará más adoptar una estrategia a largo plazo consistente en afianzar la autoestima y competencia personal de su hijo, estimular la confianza en sí mismo y en sus posibilidades y hacerlo apoyando las habilidades que tiene, subrayando las cualidades que le destacan y los aspectos en los que sobresale. No olvide también aplaudir y recompensar los éxitos que el niño obtenga diariamente.

Experiencias anteriores en situaciones o lugares públicos han de constituir la base para que los padres actúen antes de exponerse y enfrentarse de nuevo a algún escenario que pudiera resultar problemático. Lo relevante en estos casos es **anticiparse y planificar.** Es decir, antes de ir o estar presente en el lugar público, los adultos deben comenzar por prever cuál será el comportamiento de su hijo en tales circunstancias. A continuación conviene hacerle partícipe, explicándole y describiéndole la situación o, lo que es igual, dónde irán, con quiénes se encontrarán, qué tienen previsto hacer ustedes, etc. Una vez expuesto y descrito el lugar, los padres han de establecer normas de conducta que regirán el comportamiento de unos y otros mientras se encuentren allí. El planteamiento de dichas reglas debe ir acompañado de la mención a los premios y castigos consecuentes, que se derivarán en caso de ajuste o incumplimiento, respectivamente. A continuación, conviene asegurarse de que el niño ha comprendido las normas y sus consecuencias, preguntándole directamente. Por último, es beneficioso recordar las reglas acordadas y sus efectos antes de salir de casa. Añadir que mientras se encuentran fuera es eficaz reforzar e incentivar con frecuencia al niño por su buen comportamiento.

> Si a pesar de haberle explicado las normas, mi hijo no se comporta adecuadamente cuando esperamos en la consulta del médico, ¿qué puedo hacer?

También es importante que planifique de antemano cómo va a actuar en caso de que su hijo no se adapte a las normas que le ha indicado antes de salir de casa. En estos casos, no dude en proceder rápidamente, saque al niño de la situación y evite comenzar discusiones en público. Si intenta razonar con él y discuten, el niño perderá más el control y usted se angustiará y sentirá incómodo/a al percibir la censura y crítica de otras personas. Recuerde que, como adulto, debe dar muestras de controlar la situación, por tanto, lleve a su hijo a otro lugar más privado, espere a que se relaje, después recuérdele las normas y muéstrele su confianza en que puede comportarse correctamente e insista en los premios que puede lograr.

Facilitar la convivencia y manejo del comportamiento del niño hiperactivo en casa. Plan de actuación para los padres

El manejo de los problemas característicos del trastorno requiere que los padres emprendan una tarea ardua y planificada. Es decir, se exige reflexión, autocrítica, respecto al modo habitual de responder a los retos que supone el comportamiento problemático del niño, organizar y disponer favorablemente el ambiente familiar y adoptar medidas para controlar el estrés asociado que inevitablemente experimentan.

Punto de partida. ¿Cómo empezar?

No resulta fácil para los padres admitir y reconocer que existen problemas, dado que las manifestaciones alteradas de su hijo se refieren a comportamientos que en su forma de aparición no difieren de los que presentan otros niños y, por tanto, parecen «normales». Más aún, la apariencia externa no revela tampoco síntomas o indicios que sugieran la existencia de anomalías. Así pues, la «normalidad» de los signos externos (conducta y apariencia) encubre la realidad, naturaleza y dimensiones de un problema complejo que comienza a dibujarse en el horizonte de la convivencia familiar cuando a los adultos les preocupa, no el modo y manera como se comporta habitualmente su hijo, como se ha mencionado nada peculiar o extravagante, sino las dimensiones cuantitativas que alcanza su comportamiento y las consecuencias que éste origina (dificultades escolares, conflictos familiares, deterioro social). No cabe duda, pues, de que «la frecuencia, intensidad e inoportunidad de su comportamiento» constituyen señales inequívocas que inducen a dar la voz de alarma y considerar la posible existencia de problemas.

Reconocer las dificultades y limitaciones que tiene el niño hiperactivo suele provocar en los padres un ciclo de reacciones que comprende negación, incredulidad, rechazo y culpa. Posteriormente, tales reacciones derivan, primero, en la aceptación del problema y, después, en la adopción de distintas iniciativas como, por ejemplo, obtener información sobre el trastorno que les afecta, intercambiar impresiones y preocupaciones con otras personas significativas, plantear demanda de consulta profesional, etc., que en todos los casos tienen como propósito esencial mejorar el comportamiento del niño, estimular su rendimiento académico y fomentar su adaptación social.

Sin embargo, aceptar la realidad que supone el trastorno por déficit de atención no resulta fácil para los padres, pues, en principio, significa admitir y reconocer que las distracciones, despistes, comportamientos problemáticos no intencionados, limitaciones para autocontrolarse, logros escolares restringidos de su hijo a los que están tan acostumbrados, constituyen algo más que episodios transitorios de rebeldía y disconformidad. En realidad, se trata de manifestaciones de un trastorno complejo al que posiblemente nunca se hubieran planteado tener que hacer frente.

En definitiva, *aceptar,* en lo que se refiere al TDAH, adquiere un doble significado para los adultos, con implicaciones presentes y futuras, pues, como señala Barkley (1999), implica «reconocer y asumir lo que su hijo es, con sus limitaciones y habilidades, y admitir, asimismo, lo que no es y no llegará a ser» (p. 150).

Para los padres de los niños hiperactivos el reconocimiento y aceptación del trastorno les exige, como paso previo, un esfuerzo por revisar y adaptar las creencias, expectativas y convicciones que, transmitidas generacionalmente, dibujan un panorama que en poco o nada se corresponde con la realidad. Los adultos asumen la educación de sus hijos adoptando unas convicciones que hacen hincapié en la cualidad y bondad del comportamiento infantil, en un modelo «ideal» de funcionamiento familiar basado en la armonía de la familia, en el consenso sin fisuras entre sus miembros en cuanto a los valores y normas ideales bajo las que ha de regirse la educación de los niños, etc. Sin embargo, se trata de premisas admitidas por todos, no discutidas o cuestionadas, pero que, en realidad, carecen de evidencia. Se corresponden, más bien, con modelos ideales pero no responden a la realidad.

Por este motivo, antes de empezar decididamente a afrontar los problemas asociados al TDAH, es conveniente que los padres revisen, acomoden y reestructuren sus convicciones y expectativas a modelos realistas en cuanto a cómo se comportan los niños y cómo responden los padres a los retos que el desarrollo y la educación de éstos conllevan. De hecho, en la vida diaria, la mayoría de los padres afrontan por sí mismos las contradicciones que viven y perciben entre «cómo creen que han de ser y desarrollarse las cosas y cómo transcurren en realidad» en casa, en la privacidad que conlleva la vida familiar. Es habitual que confíen en amigos y familiares próximos las dudas e incertidumbres que les ocasiona algo que observan como extraño en su hijo, por ejemplo, succionar el dedo cuando el niño es mayor, tocar o manipular insistentemente algún objeto antes de ir a la cama o salir de casa, necesitar que la madre o padre duerman con ellos para así poder conciliar el sueño, etc. Cuando otros adultos (amigos, hermanos, etc.) les aseguran que todo eso no debe ser motivo de alarma o preocupación y que, además, su propio hijo también tiene esos problemas u otros similares, los padres respiran aliviados y comienzan a asumir que su realidad no es tan anormal como en principio llegaron a pensar, según sus creencias y expectativas.

Ahora bien, el reconocimiento de la existencia de problemas difíciles de manejar en casa y la búsqueda de ayuda y asesoramiento profesional para afrontar este trastorno no bastan por sí mismos para resolver las dudas e interrogantes que los padres mantienen sobre el modo idóneo de comportarse en casa con sus hijos hiperactivos. Para orientarles en esta dirección se exponen a continuación qué actuaciones emprendidas por los adultos debieran limitarse porque pueden perjudicar al niño hiperactivo y qué otras pautas de comportamiento le favorecen y ayudan. Es frecuente que los padres pegunten qué pueden hacer y qué no deben hacer.

¿Qué no debemos hacer?
• Sobreproteger al niño.
• Intentar «cambiarlo» pretendiendo un modelo idealizado, ajeno a la realidad.
• Anular, ignorar o subestimar las limitaciones y déficit de su hijo.
• Limitar sus relaciones y contactos con otros compañeros.
• Disminuir las exigencias y/o responsabilidades domésticas y escolares que se le plantean según sus posibilidades y capacidades.
• Adoptar actitudes de tolerancia y justificación de sus problemas de comportamiento.
• Buscar posibles explicaciones para localizar culpables en otras personas o entidades, a saber, prácticas de crianza erróneas, pobre y deficiente atención en el colegio, deficiente atención médica ante los primeros indicios, etc.

¿Qué podemos y debemos hacer?
• Adquirir información y conocimientos científicos y actualizados sobre el trastorno.
• Aceptar las limitaciones y enfatizar los aspectos y habilidades destacadas del niño.
• Evitar las críticas y reproches frecuentes, pues cuando los padres emplean asiduamente la censura y crítica resulta más difícil la adaptación psicológica del niño.
• Analizar la situación actual. Reflexionar sobre las reacciones emocionales asociadas a los problemas de su hijo y sobre el modo de actuar propio respecto al comportamiento habitual del niño.
• Adoptar iniciativas de control y afrontamiento de los problemas.
• Buscar ayuda profesional.

Para empezar, es recomendable destacar *cuáles son los «puntos fuertes», las habilidades de su hijo.* Anote sus reflexiones, tome en cuenta los siguientes ejemplos.

- Es cariñoso y...
- Quiere mucho a su hermana pequeña, le ayuda...
- Está muy pendiente de nosotros...
- Se esfuerza mucho cuando algo le interesa...
- Es muy creativo e ingenioso...

Ahora bien, estas recomendaciones y orientaciones se sustentan en premisas y planteamientos previos que han de tomarse en consideración. Se trata de las siguientes cuestiones:

- *La conducta se aprende y modifica,* responde a leyes de aprendizaje. El conocimiento de las reglas y normas que rigen el aprendizaje del comportamiento permite explicar y comprender la conducta infantil, advertir la influencia que el entorno social y familiar desempeñan en su manifestación, aparición, incremento o desaparición. De ahí la importancia que, en el tratamiento y control de la hiperactividad infantil, adquiere la comprensión de cómo actúan los padres y otros adultos significativos para el niño.
- Los problemas del niño hiperactivo que desbordan, angustian y causan estrés a los padres se traducen en *comportamientos y conductas específicas* susceptibles de ser definidas y observadas («qué es lo que hace el niño»). Las «etiquetas» (nervioso, inquieto, distraído, desobediente, etc.) dificultan el manejo del comportamiento infantil y centran la atención y preocupación de los

adultos en los aspectos más negativos y problemáticos de su conducta, obviando las habilidades destacadas e ignorando las conductas apropiadas que el niño emite.

- El comportamiento se ve influenciado por el ambiente en el que se desarrolla el menor. La conducta infantil aparece, se consolida y/o desvanece según las *consecuencias y efectos* que tienen lugar tras su aparición. La atención que dispensan los adultos, bien en forma de reproches y comentarios críticos, o bien como alabanzas, halagos, etc., apoya y refuerza en idénticos términos comportamientos adecuados e inadecuados cuando se proporciona durante o inmediatamente después que éstos hayan tenido lugar. Así pues, lo deseable consiste en vincular el refuerzo que proporcionan los padres a comportamientos adaptados que, en el caso de la hiperactividad, significan autocontrol, inhibición, atención, obediencia, cumplimiento de normas, etc., y evitar que el apoyo que otorgan los adultos se asocie a conductas problemáticas. Sin embargo, no siempre ocurre así, pues se admite equivocadamente que el comportamiento adecuado no requiere en sí mismo de apoyos específicos.

- La influencia del entorno se observa en situaciones, momentos, personas y lugares que están presentes cuando el niño se comporta mal, de ahí la posibilidad de predecir y anticipar los comportamientos hiperactivos que dependen de los *factores o acontecimientos antecedentes.*

- Si cualquier conducta de un niño, en una situación determinada, va seguida de una recompensa, es más probable que, en otras ocasiones, cuando se encuentre en un contexto similar, el niño se comporte del mismo modo que antes de recibir el refuerzo.

- Si se ignora una conducta problemática que anteriormente, cuando se producía, había recibido atención y/o aprobación es probable que el niño deje de emitirla en el futuro y desaparezca. Insistimos en que la atención dispensada por los adultos debiera concentrarse en el comportamiento adaptado del menor (esfuerzos incipientes de autocontrol, intentos de cumplir las normas familiares, pequeños progresos en rendimiento académico, etc.) aunque en un juicio rápido de los padres pudiera concluirse que este comportamiento apenas ocurre. Conviene, por tanto, detenerse a reflexionar y analizar sosegadamente los «puntos fuertes», en términos de conducta que el niño emite.

- Reprender verbalmente, amenazar, pegar, etc., constituyen métodos de *castigo* conocidos por todos, cómodos de aplicar, de efecto rápido e inmediato. Sin embargo, los logros sobre el comportamiento problemático del niño hiperactivo son tan sólo aparentes y transitorios. Su éxito no se prolonga en el tiempo y, por tanto, resultan *ineficaces* a medio y largo plazo para controlar, modificar y reorientar las conductas difíciles, características de la hiperactividad.

- *Padres como modelos y su conducta como fuente de imitación.* Los niños aprenden observando cómo interactúan sus padres, cómo responden a situaciones críticas, cómo se comportan cuando están con otras personas, etc. Aprenden viendo y escuchando más eficazmente que a través de las indicaciones expresas de los adultos acerca de aquello que deben hacer o aquello otro que no conviene repetir o iniciar. Se trata, por tanto, de comprender que ser modelos de comportamiento para los hijos conlleva *ordenar menos y mostrar más* en términos de conductas adecuadas, *evitar las contradicciones decir-hacer* y *actuar coherente y consistentemente.*

Cierta autocrítica conductual. ¿Por qué los castigos no producen efecto?

Es frecuente que los padres, cansados e inquietos por las dificultades y problemas diarios que plantean sus hijos, adopten pautas educativas que poco benefician al niño y a los requerimientos de autocontrol e inhibición que desde el colegio y la familia se les plantean. Salvando, lógicamente, las diferencias propias de cada caso, en general, el patrón característico de comportamiento que muestran los adultos para hacer frente a los excesos y desafíos que supone la hiperactividad suele responder a los siguientes parámetros:

- Órdenes simultáneas.
- Demandas desmesuradas y excesivas de control.
- Amenazas verbales y castigos prometidos reiterados que, sin embargo, suelen ignorarse posteriormente.
- Escasos refuerzos y demasiadas críticas.
- Abuso de prohibiciones y límites.

No cabe duda de que las peculiaridades del trastorno, caracterizado, entre otras cuestiones, por heterogeneidad conductual y variación sintomatológica (Moreno y Servera, 2002) unido a los escasos resultados que, en su manejo y control, proporcionan otras pautas educativas menos restrictivas explican en parte que los padres recurran a prácticas coercitivas. Ahora bien, antes de avanzar hacia iniciativas ambientales y estrategias personales eficaces conviene analizar, desde una perspectiva crítica, los efectos/beneficios y riesgos que tales actuaciones generan en el comportamiento infantil y en el propio niño afectado.

¿Por qué las órdenes, las exigencias de autocontrol, las amenazas y castigos reiterados no producen efecto alguno sobre el comportamiento del niño?

Los adultos recurren a dar órdenes e instrucciones para que los niños cumplan con determinadas tareas o realicen ciertas conductas. Sin embargo, es fácil apreciar que este proceder origina un efecto contrario al que se pretende; en ocasiones, en lugar de incitar la conducta del niño en la dirección esperada reducen la colaboración del menor. Cuando esto sucede, alcanzar el objetivo que los progenitores se habían propuesto se convierte, a partir de entonces, en una labor ardua y difícil. Si además las instrucciones paternas se suceden rápidamente en el tiempo y hacen referencia a diversas conductas que el menor debe realizar, la situación se complica enormemente.

No podemos olvidar que los niños con TDAH tienen serios déficit atencionales que interfieren negativamente en la secuencia de comportamiento que sigue tras la *orden/instrucción del adulto y la ejecución posterior de la misma* por parte del niño. Por este motivo, los requerimientos de los adultos han de ser sensibles con las limitaciones propias al trastorno y, por tanto, cuando los padres pretenden que el niño cumpla una orden determinada, han de tener en cuenta que las instrucciones deben implicar únicamente una acción o comportamiento a realizar por parte de su hijo.

De forma natural los adultos requieren a los niños inhibición y control de su comportamiento y del nivel de actividad que desarrollan en situaciones en que se espera sean organizados, planifiquen sus actividades, realicen y cumplan con las tareas que tienen asignadas en casa y en el colegio, etc. No obstante, tales exigencias y sus expectativas de cumplimiento colisionan con las características de este trastorno definido, como antes se ha indicado, por las dificultades que muestran los menores afectados para regular y adaptar su nivel de actividad a las exigencias del momento, controlar los impulsos, retrasar las gratificaciones que esperan y demorar sus peticiones. Ello significa, pues, que las demandas del entorno familiar no pueden ser ajenas a esta realidad y, por tanto, debieran ajustarse a las posibilidades reales del niño, ayudándole mediante señales e instrucciones sencillas, claras y específicas qué es lo que se espera de él en situaciones concretas. Más adelante, en el apartado correspondiente a las iniciativas encaminadas a fomentar inhibición y autocontrol, volveremos sobre estas cuestiones.

Numerosas evidencias revelan que el uso de castigos, reprimendas verbales y críticas constituye una práctica educativa generalizada entre los padres debido a la rapidez del efecto que se aprecia sobre la conducta de los niños y por el alivio que los propios adultos experimentan al constatar que el comportamiento de su hijo ha mejorado tras castigarle. Ahora bien, sin abundar en exceso sobre las limitaciones que conlleva castigar, sí es éste el momento de apuntar algunas notas de interés a tener en cuenta.

1. | Los adultos, al castigar, deben hacer hincapié en la conducta del niño, es decir, se le castiga porque ha hecho o dicho algo, porque ha transgredido alguna norma ya acordada y conocida de antemano por él. O, lo que es igual, el castigo, en caso de producirse, ha de ir asociado a la conducta. En consecuencia, NO debe emplearse este método porque el niño sea «malo», «desobediente», «inquieto», etc., y así hay que indicárselo al propio afectado.

2. | Debe recurrirse al castigo para apercibir que el comportamiento no ha sido adecuado, de ahí que, antes, el niño deba tener conocimiento de cuál será la consecuencia que conlleva comportarse de dicha manera. Una vez que esto es así, los padres han de actuar de forma coherente.

3. | La magnitud del castigo ha de ser proporcional a la conducta que el niño ha emitido, teniendo en cuenta su relevancia e implicaciones para el propio niño y su entorno.

4. Castigar en exceso y como método habitual para corregir la conducta problemática conlleva serios riesgos emocionales para el menor. Por este motivo, para modificar el comportamiento infantil conviene recurrir en todos los casos a ofrecer apoyos, refuerzos y estímulo a las conductas adaptadas, teniendo en cuenta que si se emplea castigo siempre ha de combinarse con reforzamiento del comportamiento apropiado.

Se trata, en definitiva, de invertir la tendencia, tal vez demasiado generalizada entre los adultos, y emplear, sobre todo y como primer paso para corregir el comportamiento de los niños con TDAH, premios, recompensas, refuerzos (halagos, elogios, atención) entregados inmediatamente tras la conducta positiva que éstos emiten. En algunas ocasiones puede resultar útil administrar recompensas y castigo, pero nunca debe emplearse únicamente lo segundo como procedimiento exclusivo.

«Como no obedece y es imprevisible no me queda más remedio que prohibirle la mayoría de las cosas que quiere o le gustaría hacer».

¿Es correcto ser permisivo cuando mi hijo se comporta mal?

Estas afirmaciones y preguntas son sólo una pequeña muestra de las dudas e interrogantes que los adultos tienen con relación a las prohibiciones y disciplina que establecen en casa para modular el comportamiento de su hijo. Llegados a este punto, una de las preguntas que muchos padres se plantean es la siguiente:

¿Hasta dónde debo llegar prohibiéndole?

Como se ha indicado anteriormente, los conflictos generados de un modo u otro por el comportamiento desorganizado, no sujeto a reglas, impulsivo, etc., del niño desencadenan reacciones extremas en los padres, que tienden a restringir y acotar las posibilidades de actuación de su hijo a fin de mantener bajo control la conducta de éste. Ahora bien, prohibir como único o prioritario recurso supone, entre otros efectos, limitar al niño las oportunidades de aprendizaje y de nuevas experiencias, causa frustración al menor al impedirle realizar iniciativas o proyectos y participar en actividades que le motivan y agradan y, sin lugar a dudas, complica las relaciones padres-hijo.

Por este motivo, es claro que prohibir sin un objetivo claro que beneficie al niño y hacerlo sólo en favor de las necesidades y requerimientos de los adultos constituye una práctica censurada desde todos los ángulos, tanto educativos como terapéuticos. La cuestión tal vez debiera plantearse en términos de disciplina positiva, es decir, tratando de equilibrar las tácticas educativas restrictivas con las prácticas necesariamente positivas, pero tomando siempre como referencia el aspecto emocional. En cualquier caso, el objetivo deseable debiera ser fomentar el autocontrol en el niño, es decir, que él mismo aprenda a regular su comportamiento tomando como ejes de referencia, por un lado, el bagaje de normas conocidas y, por otro, las consecuencias acordadas que se derivarán en caso de cumplimiento e incumplimiento de las reglas admitidas por ambas partes, padres y niño.

Queda claro que la educación y convivencia con un menor hiperactivo constituye un desafío considerable para los padres, que han de recapacitar sobre las expectativas y pautas educativas que han asumido tradicionalmente y reorientar los objetivos según la realidad y naturaleza de los problemas que presenta su hijo. En este sentido, se exponen a continuación distintas cuestiones relacionadas y algunas de las respuestas que proporcionan los adultos cuando se les propone reflexionar sobre las prácticas y métodos que emplean para mejorar el comportamiento de su hijo hiperactivo.

¿Qué hace/dice usted cuando su hijo no le obedece?

- Repito una y otra vez las órdenes. Insisto en qué es lo que tiene que hacer y le explico por qué.
- Le amenazo con castigos pero, como no hacen efecto, cada vez las amenazas son mayores y tienen más consecuencias.
- Normalmente, no me hace caso ni con los castigos, entonces pierdo los nervios, grito y me enfado. En alguna ocasión, he llegado a pegarle.
- Aunque casi siempre estoy enfadado/a e indignado/a procuro no dejarme llevar por la ira y tener paciencia. A veces, me resulta imposible.
- Como no puedo con él, trato de olvidarme, que haga lo que quiera.

Cuando su hijo tiene pendientes tareas o actividades escolares, ¿cómo suele indicarle que debe hacerlas?

- Se las recuerdo todas para acabar cuanto antes y, así, obligarle a hacerlas sin olvidar alguna de ellas.
- Suelo explicarle por qué tiene que hacerlas. Le doy razones y argumentos.
- Estoy tan cansado/a de repetirle qué ha de hacer, que simplemente le digo que lo haga ahora.

¿Cuáles son los castigos que emplea habitualmente?

- No verá la televisión.
- No saldrá a la calle a jugar con sus amigos.
- No le dejaré ir de excursión con los compañeros del colegio.
- No irá de vacaciones de verano.

¿Suele usted cumplir los castigos que promete cuando está enfadada/o?

- Casi siempre intento cumplirlos, pero a veces pienso que ya le he castigado mucho y hago como si me hubiera olvidado.
- No suelo cumplirlos, aunque después me reprocho a mí mismo/a no hacerlo porque sé que el niño se da cuenta de ello

¿Suele usted cumplir los castigos que promete cuando está enfadada/o?
• Procuro cumplirlos, pero si son muy graves o se refieren a logros previstos a largo plazo (excursiones, salidas familiares, etc.) no puedo.
• Intento ponerle castigos que después sé que puedo cumplir.

¿Recuerda alabar, premiar, valorar y reconocer los logros de su hijo?
• Estoy tan indignado/a a diario que no recuerdo premiarle o alabarle
• Es difícil porque no hace nada que nos anime para premiarle.
• Cuando hace algo positivo, circunstancia que apenas ocurre, no tengo ganas de premios porque recuerdo lo difícil que es la convivencia diaria con él.
• Aunque lo pienso y me gustaría hacerlo, apenas puedo premiarle, no me da oportunidad, su mal comportamiento prevalece casi siempre.
• Le premio y le digo que estoy muy contento/a cuando noto que se ha esforzado por obedecer o aceptar las normas que tenemos en casa.

Iniciativas ambientales y estrategias personales. ¿Cómo actuar eficazmente?

Hemos reflexionado anteriormente sobre las iniciativas que los padres adoptan para afrontar y controlar los problemas característicos del trastorno por déficit de atención con hiperactividad y ahora ha llegado el momento de avanzar hacia el planteamiento de estrategias y métodos que pueden ayudar a los adultos en esta tarea. En este sentido, Taylor (1998) señala que la eficiencia en el manejo de los niños hiperactivos va ligada a las habilidades básicas de que disponen sus padres y que, según este autor, consisten en: *a*) identificar el problema del niño y fomentar su autocontrol; *b*) establecer reglas precisas que regulen su conducta, y *c*) lograr autocontrolarse. Además, cuando ambos padres comparten idénticos puntos de vista sobre los problemas y cómo actuar frente a ellos y cuando superan sus posibles diferencias sobre el modo de aplicar disciplina, aumentan las posibilidades de controlar el comportamiento problemático y disruptivo de su hijo hiperactivo.

En cualquier caso, numerosos indicios señalan que la intervención adecuada de los adultos con relación al comportamiento impulsivo, desorganizado y excesivo, en cuanto a actividad, que muestra el niño hiperactivo requiere centrarse en tres áreas o ámbitos, a saber:

1. Habilidades personales y de comunicación.
2. Iniciativas ambientales para fomentar inhibición y autocontrol en el niño
3. Actuaciones dirigidas específicamente al niño.

Habilidades personales y de comunicación

Tomar decisiones en el ámbito de organización del ambiente en casa o esforzarse por emitir comportamientos adecuados para apoyar los esfuerzos del niño y sus logros académicos debe ir precedido por una iniciativa anterior que consiste en asumir y poner en práctica una especie de «código» de principios o, lo que es igual, reglas no escritas que tienen que ver con el modo de comunicarse y plantear la relación con su hijo, por un lado, y con los objetivos y metas que usted estima prioritarias en la educación del niño. Nos referimos a las siguientes cuestiones:

Empatizar. Ser y mostrarse empático significa esforzarse por adoptar el punto de vista y la perspectiva del niño, por comprenderle y aceptar sus sentimientos y reacciones emocionales de irritabilidad, hostilidad, miedo, etc. Es comprensible que como padre se pregunte cómo comprender su impulsividad sin que usted experimente sentimientos de hostilidad. Sin embargo, los expertos insisten en la importancia de adoptar la perspectiva del niño para, desde ahí, comprenderle y actuar más eficazmente en el manejo y control de sus comportamientos problemáticos. Para hacer más fácil esta tarea Bauermeister (2002) propone a los adultos que estén atentos a los sentimientos y preocupaciones del niño, modifiquen sus hábitos erróneos de comunicación y hagan aportaciones válidas para afrontar el problema que inquieta a su hijo. Si usted reflexiona sobre estas cuestiones le será de gran ayuda la consideración de las siguientes indicaciones:

- Observe si al niño le preocupa o inquieta algún problema o dificultad en la que se ve implicado (malas relaciones con los compañeros, conflictos en el colegio, reprimendas del profesor, etc.).
- Esté atento a los sentimientos y emociones implicadas (temor, angustia, etc.) con relación a los acontecimientos anteriores.
- Haga mención a dichas emociones o sentimientos mediante comentarios en términos «siento», «pienso».
- Preste atención y escuche atentamente evitando las interrupciones mientras el niño explica sus sentimientos e inquietudes.
- Aporte soluciones viables según las posibilidades del niño.

Comunicación efectiva. No punitiva. Se ha mencionado anteriormente que la convivencia con los niños hiperactivos afecta negativamente a las interacciones verbales que los adultos mantienen con ellos, de manera que los hábitos de comunicación que se establecen entre unos y otros no son adecuados porque se desarrollan esencialmente basándose en órdenes e imposiciones de los padres y en juicios de valor sobre el niño y críticas sobre su funcionamiento, resultados y expectativas.

No cabe duda de que los esfuerzos por mejorar el comportamiento infantil y lograr su adaptación suponen, desde el principio, tratar de corregir y modificar el estilo habitual de comunicación que los adultos han ido adoptando a medida que se reproducían los conflictos familiares. Estilo que interfiere y perjudica las interacciones padres-hijos y merma la autoestima personal del niño afectado por TDAH. A modo de ejemplo, reproducimos algunos elementos de la comunicación con los niños que debieran sustituirse por otros aspectos más positivos y favorecedores, a saber:

NO	SÍ
• Reproches y quejas.	• Manifestar opiniones e impresiones (opino, creo que...).
• Personalizar y acusar.	• Reprender verbalmente conductas específicas.
• Criticar / Menospreciar.	• Respetar iniciativas del otro.
• Interrogar / Preguntar.	• Escuchar / Atender.
• Imponer opiniones.	• Considerar otros puntos de vista.
• Ordenar / Prohibir.	• Acordar / Permitir.

Reflexionar y priorizar los objetivos educativos y conductuales que usted, como padre, pretende alcanzar en relación con el comportamiento impulsivo, excesivo y desorganizado de su hijo.

Si observamos la situación desde la óptica de los padres es comprensible que estén interesados en cambiar todo desde el principio, pues en apariencia «todo» es problemático. Por ejemplo, la manera de reaccionar del niño en situaciones públicas, cuando van al médico o de compras, su desobediencia cuando ha de hacer alguna tarea, su escasa atención e interés para realizar los deberes escolares, su tendencia a ser el primero en meterse en líos o empezar conflictos con los hermanos, etc. Por este motivo, cuando a los adultos se les sugiere priorizar primero, para actuar poco a poco, suelen mostrarse desconfiados y recelosos ante semejantes propuestas. Sin embargo, no parece que existan muchas garantías de éxito si el objetivo de la empresa consiste en alterar todos los comportamientos o resolver todas las limitaciones que el niño presenta en una o pocas actuaciones, de una vez y en su conjunto.

Se trata, más bien, de deliberar y decidir un plan de actuación una vez que quedan claros los objetivos que los padres estiman prioritarios respecto al comportamiento problemático de su hijo y a sus limitaciones escolares. O, lo que es igual, hay que decidir por *dónde empezar, cómo continuar y dónde finalizar*. Las respuestas a estas reflexiones pasan, según los expertos, por plantearse metas de cambio o de logros académicos y sociales, claras y precisas, que estén planteadas en términos positivos, que sean realistas y posibles según las limitaciones y habilidades del niño hiperactivo. Conviene tener en cuenta que es mejor avanzar con pasos cortos pero seguros, garantizando experiencias de éxito que serán muy bien recibidas tanto por los padres como por el propio niño afectado y supervisando los avances y logros que éste obtiene.

En definitiva, se obtendrán mejores resultados cuando los padres no se dejen guiar por la urgencia y la necesidad de observar cambios inmediatos y de alcanzar sin demora logros académicos, difíciles por el momento. En su lugar, conviene realizar un análisis sosegado sobre las posibilidades de su hijo y, a continuación, dar prioridad a unos objetivos sobre otros teniendo en cuenta que las metas más ambiciosas podrán alcanzarse posteriormente. En cualquier caso, es más recomendable asegurar experiencias de éxito en los esfuerzos que los adultos emprenden por sí mismos para neutralizar los problemas infantiles, de ahí nuestra insistencia en la necesidad de *reflexionar, organizar los objetivos y priorizar las actuaciones*.

Aprenda a ser paciente y tolerante. Se comprende que a simple vista es pedir mucho a los padres de niños hiperactivos, ahora bien, si éste es su caso, si su hijo tiene TDAH, aun en los momentos más críticos y conflictivos cuando, por ejemplo, no hace caso de sus indicaciones o instrucciones para hacer las tareas, o para quedarse quieto y no molestar o, incluso, cuando le desafía y provoca, no debe usted perder de vista la perspectiva de discapacidad y de trastorno que suponen las alteraciones y problemas que muestra su hijo. Si sus reacciones, como padre, a las situaciones conflictivas están moduladas por esta perspectiva recordará que los comportamientos y limitaciones de su hijo no son transitorios y premeditados, ni se realizan con intención de fastidiarle e incomodarle. Como sabe, estas conductas son reflejo de un trastorno conocido como TDAH que conlleva importantes limitaciones cognitivas y anomalías en el comportamiento del niño afectado. Por tanto, ante acontecimientos y situaciones complicadas recuerde no perder el control, sea paciente y tolerante y juzgue los conflictos desde la realidad que supone el trastorno diagnosticado a su hijo.

Iniciativas ambientales para fomentar inhibición y autocontrol en el niño

Desde todos los ámbitos implicados en el estudio y tratamiento de la hiperactividad infantil se hace hincapié en la utilidad de modificar e intervenir en el entorno para configurar un ambiente que favorezca comportamientos adaptados, entre ellos, organización, planificación previa, inhibición conductual y autocontrol. La psicología y, en concreto, el enfoque conductual, han insistido básicamente en la estructuración, estabilidad ambiental y coherencia conductual por parte de los adultos como algunas de las claves fundamentales para lograr este propósito.

Es decir, además de las buenas intenciones y los encomiables esfuerzos que los adultos emprenden es importante adoptar y regular la convivencia familiar en torno a un decálogo de principios y normas, así como mantener, como adultos y padres de niños hiperactivos, una actitud de coherencia y regularidad en el cumplimiento de los principios y pautas que se acuerdan. En definitiva, se trata de disponer y configurar un ambiente que sea propicio al niño para autorregular su conducta, organizarla, responsabilizarse de sus tareas y cumplirlas con éxito.

A continuación se exponen algunas de las directrices fundamentales para avanzar en esta dirección:

- Establecer *normas y reglas de conducta explícitas, claras y conocidas* por todos, tal como expusimos en otro lugar (Moreno, 1995). Se trata de definir y acordar un reglamento, un decálogo de actuación que debe regir la convivencia familiar. Lógicamente estos principios y reglas de actuación no deben ser estáticos o inmodificables, al contrario, han de adaptarse y ajustarse según las necesidades y cambios que se producen en el entorno de la familia. Ahora bien, es sabido que tratar de definir y acordar las normas por las que se regirá la vida familiar no es exclusivo de las familias con hijos hiperactivos, se trata de una iniciativa implícita en la convivencia y, por tanto, constituye el esqueleto en torno al cual se va edificando la vida familiar e individual de cada miembro. Sin embargo, cuando nos referimos a los niños hiperactivos se hace más evidente el establecimiento de un código conocido por todos los implicados (padres, niño afectado, hermanos, etc.) en el que se reflejen las conductas y tareas que competen a cada niño y las consecuencias positivas o negativas que se derivarán según el comportamiento de cada uno. Hay que tener en cuenta que estas normas han de ser comprensibles por el niño a quien, además, hay que explicarle las circunstancias en las que se aplican y aclararle cómo se cumplen o incumplen dichas normas y qué pasa cuando esto ocurre. Es decir, cuáles son los premios y castigos asociados a su cumplimiento e incumplimiento respectivamente.

- Adoptar y mantener un comportamiento regular, coherente, caracterizado por la adaptación del mismo a las normas consensuadas y sus consecuencias. O lo que es igual, *estabilidad, regularidad y coherencia conductual,* esto significa, pues, que las normas y reglas acordadas se mantienen, no cambian arbitrariamente. Con ello el niño gana en seguridad y ajuste, pues conoce de antemano qué debe hacer y cuáles son las consecuencias que seguirán a su comportamiento. De lo contrario, el caos cotidiano y las reglas variables e imprevisibles originan inestabilidad, ansiedad y desconcierto.

  En síntesis, los niños han de conocer y comprender cuáles son los límites de su conducta y las consecuencias derivadas, de esta manera aprenden a adaptar su comportamiento a parámetros consensuados y asumen progresivamente su control.

- Es aconsejable que los padres establezcan *contacto visual frecuente* con el niño al tiempo que mantienen una expresión paciente y confiada en la realización de la conducta de su hijo, y recuerdan proporcionar reforzamiento inmediato una vez que ésta ha terminado. En definitiva, en las interacciones con su hijo, NO transmita desconfianza, rechazo u hostilidad.

- Dar *mensajes y órdenes breves, claras y precisas.* Evite términos ambiguos e imprecisos, utilice mensajes cortos y claros. Por otro lado, es conveniente que los adultos no consideren de antemano que el niño ha comprendido la instrucción que acaban de darle y sabe qué se espera de él. Asegúrese de que lo ha entendido antes de esperar confiado en su realización.

Conviene explicarle en qué consiste y qué significan las demandas y tareas que debe realizar y aclararle con precisión cuáles son sus expectativas e instrucciones para facilitarle así que lo pueda hacer satisfactoriamente. No cabe duda de que al proceder de este modo el niño gana en seguridad y confianza.

Con demasiada frecuencia juzgamos a los niños como desobedientes, insubordinados e independientes cuando observamos que no hacen aquello que les pedimos y omiten nuestras instrucciones. Sin embargo, es fácil constatar que, a veces, o bien no han aprendido la correspondencia entre *instrucción verbal* del adulto y *ejecución de la tarea/actividad,* o bien realmente los niños no han comprendido qué han de hacer y qué se espera de ellos. Para entender, por un lado, hasta qué punto es importante la relación entre el contenido de las instrucciones de los adultos y el comportamiento infantil de obediencia/desobediencia o de realización/abandono de las tareas académicas, por otro, basta indicar que la ejecución, comprensión y tasas de finalización de las actividades escolares que los niños tienen encomendadas difieren según el tipo, complejidad y modo habitual que tienen los adultos de transmitir las indicaciones.

Por tanto, para asegurar la eficacia de las *instrucciones paternas* conviene tener en cuenta las siguientes cuestiones:

— Evitar formular las órdenes como pregunta o favor.
— Sea escueto y preciso. No mezcle varias consignas al mismo tiempo. Asocie instrucción con tarea específica que el niño ha de realizar.

- Compruebe que el niño le atiende. Observe que se mantiene el contacto visual entre ambos mientras usted le da la instrucción.
- Adopte un tono firme y seguro.
- Asegúrese de que al dar la orden no existen otros estímulos o circunstancias que, en ese momento, captan la atención e interés del niño.
- Confirme que su hijo ha escuchado la orden. Insista en que repita la consigna que usted le ha dado. No le preocupe tener que recordar y repetir la instrucción tantas veces como sea necesario.

- Aunque antes se ha mencionado esta cuestión, conviene subrayar en este momento la necesidad de *configurar un ambiente estructurado,* con hábitos de conducta y horarios regulares. Se trata, por un lado, de evitar la improvisación por cuanto dificulta el ajuste y acomodación de la conducta del niño hiperactivo a situaciones y eventos desconocidos y, por otro, de estructurar y planificar el tiempo de manera que sea posible alternar secuencias de actividad-tranquilidad.

- *Organización y planificación* previa. Ayude al niño a organizarse y recordar las tareas, obligaciones y responsabilidades, recurra al control ambiental para lograrlo. Utilice *señales, recordatorios* (pegatinas, relojes con alarma, papel adhesivo de distinto color) para clasificar y asociar a las diferentes tareas y deberes que ha de realizar. Coloque estas marcas en lugares visibles y frecuentados por el niño, de este modo le ayudarán a recordar qué tiene que hacer. En realidad, de acuerdo con Hallowell y Ratey (2001), la estructura y organización ambiental que se intenta plantear equivale a las señales externas de control, necesarias, como se aprecia, para equilibrar el limitado control interno que caracteriza a los niños con hiperactividad.

Algunas de las estrategias que los adultos pueden emplear para lograr este propósito son las siguientes:

— Elaborar un listado con las obligaciones y tareas que cada semana ha de realizar el niño y colocarlo en un lugar visible y frecuentado por éste. No podemos olvidar que es imprescindible reforzar, inmediatamente, tras su ejecución, cada vez que realice alguna de las actividades.
— Plantear un registro de las conductas en un lugar visible de la cocina o de la habitación más frecuentada con el fin de visualizar claramente cómo es el progreso del niño, hasta dónde va modificándose su conducta y si este cambio ocurre en la dirección esperada.
— Utilizar una agenda donde el niño debe anotar las tareas escolares y los padres comprometerse a revisar y comprobar.

- *Supervisar con frecuencia.* Compruebe que las tareas han sido realizadas y proporcione de inmediato recompensas y refuerzos o, en caso contrario, otorgue los castigos derivados del incumplimiento de las normas conocidas por el niño. Recuerde que los refuerzos y castigos han de ser inmediatos, evite demorar el castigo o entregar los premios conseguidos. Se trata de enseñar al niño a vincular su conducta con las consecuencias que origina. No olvide que si retrasa las consecuencias, su actuación pierde efectividad.
- Emplee un *sistema de puntos.* Junto a elogios y halagos es conveniente emplear un sistema de fichas o puntos con la finalidad de incentivar al niño para cumplir las tareas

domésticas y escolares y adaptar su conducta a las normas conocidas. Antes de comenzar su aplicación tenga en cuenta las siguientes consideraciones:

— Explique a su hijo que este sistema tiene como objetivo que él obtenga privilegios y recompensas por comportarse adecuadamente.
— Describa el contenido del sistema de puntos. Es decir, cuando su hijo obedezca, cumpla con las exigencias académicas y realice sus obligaciones domésticas, obtendrá puntos que después puede cambiar por privilegios que él mismo ha elegido. También debe explicarle que si su comportamiento no es el esperado perderá fichas y, con ello, la oportunidad de conseguir los privilegios acordados.
— Elija el tipo de ficha o punto que va a emplear. Según la edad del niño puede utilizar pegatinas, fichas de juegos de mesa, etc.
— Asigne valores a las fichas o puntos.
— Elabore un listado de recompensas y privilegios que el niño puede canjear por los puntos. Es importante que su hijo participe activamente en este trabajo. Tenga en cuenta sus preferencias respecto a objetos, juegos o actividades deseadas (por ejemplo: ver un programa favorito de televisión, jugar con un juguete preferido, retrasar un tiempo la hora de ir a la cama, ir al cine, etc.).
— Confeccione una lista indicando las tareas y conductas adecuadas que ha de realizar su hijo (por ejemplo: hacer las tareas escolares sin que los padres se lo indiquen expresamente, obedecer, contestar cuando le llaman, no pelearse con los hermanos, etc.).
— Posteriormente, asigne un valor a cada tarea, demanda a realizar o conducta esperada. Tenga en

cuenta que a mayor esfuerzo personal implicado en la satisfacción de esas conductas y tareas, mayor ha de ser el número de fichas o puntos que entregue a su hijo.

— Coloque en un lugar visible (por ejemplo, en la puerta de la nevera) una hoja en la que registre cuántas fichas ha ganado su hijo, cuántas ha perdido y cuántas tiene acumuladas.

— Acuerde con el niño un día para cambiar las fichas por los privilegios acordados.

— Por último, aunque lo anterior constituye indicaciones prácticas, NO OLVIDE consultar con expertos el modo de aplicar correctamente el sistema de puntos en casa.

Actuaciones específicas respecto al niño hiperactivo

Una vez referidas algunas de las tácticas de control ambiental recomendadas para ayudar al niño con TDAH a modular y regular su comportamiento en casa, en las páginas que siguen se plantean ciertas iniciativas encaminadas a que el niño hiperactivo aprenda estrategias que le permitan hacer frente con éxito a las demandas del colegio y a los requerimientos que plantean sus padres y familiares más próximos. Una vez aprendidas estas habilidades las podrá emplear para resolver otras exigencias académicas, familiares y sociales.

Según sea el objetivo de padres y profesores, bien lograr que el niño con TDAH realice las tareas y responsabilidades que tiene asignadas o bien conseguir que inhiba su comportamiento excesivo y caótico, se diferencian las siguientes iniciativas:

- *Respecto a la asignación/realización de tareas.*
- *Respecto a la inhibición y autocontrol como oposición al comportamiento inquieto y desordenado del niño hiperactivo.*

Respecto a la asignación/realización de tareas

Ante las demandas reiteradas de mejora del rendimiento académico y realización de tareas y actividades escolares, hemos de tener en cuenta, según se ha mencionado anteriormente, que los déficit de atención y limitaciones cognitivas que acompañan a la hiperactividad obstaculizan el desenvolvimiento de los niños hiperactivos en este ámbito. Es decir, tienen dificultades para analizar, procesar y resolver satisfactoriamente ejercicios y actividades que se presentan como un todo, con entidad y estructura unitaria. Por tanto, para garantizar el éxito y evitar que el niño hiperactivo acumule fracasos en el colegio en comparación con sus compañeros, así como para asegurar que tenga motivación imprescindible para ejecutar las exigencias que se le plantean, es importante que los adultos, padres y profesores le enseñen a organizar, concentrarse y resolver los problemas. Algunos de los métodos y tácticas incluyen:

Organizar, planificar y secuenciar según complejidad las tareas que el niño hiperactivo debe realizar. Esta propuesta genera distintas cuestiones de interés:

¿Cómo organizar las actividades que el niño debe realizar? ¿Es posible dividir una actividad en pasos? ¿Cómo podemos hacerlo?

Algunas de las claves para fomentar el trabajo de los niños con hiperactividad consisten en PLANIFICAR, PREVER, ORGANIZAR y NO improvisar el modo de resolución de las tareas propuestas. En definitiva, es importante efectuar un trabajo previo de preparación para la realización de las actividades escolares y así hay que hacérselo saber al niño. Por tanto, antes de empezar es conveniente que los padres insistan primero en preparar el material, distribuir los cuadernos o libros con tareas utilizando, por ejemplo, señales de colores, rojo para Lengua, verde para Cálculo, etc., y después, prestar atención a los ejercicios concretos y analizar su complejidad.

En este caso es aconsejable, dadas las limitaciones de los niños hiperactivos, dividir, segmentar la tarea en fases o etapas más pequeñas, de tal manera que aprendan a ir superando los pasos de manera progresiva, conduciéndose hacia una meta razonable y ajustada a sus posibilidades y recursos. Como se sabe, las conductas y las actividades realizadas son el resultado de una secuencia de actuación que suele pasar inadvertida, pues la hemos aprendido y asumido de manera que la repetimos automáticamente. Sin embargo, si adoptamos una visión retrospectiva observamos que desde que comenzamos hasta que finalmente llegamos a la meta hemos avanzado según pasos sucesivos, más o menos amplios en cuanto al nivel propio de dificultad. No cabe duda de que enseñar a los niños con TDAH a analizar y examinar la tarea, en lugar de intentar resolverla sin adoptar una estrategia válida, constituye una opción recomendable para fomentar su aprendizaje y desenvolvimiento académico.

En todo caso, cuando han de realizar tareas nuevas conviene, además de organizar, planificar y secuenciar, que los padres y/o profesores empleen consignas e instrucciones sencillas y concretas que le ayuden al niño a guiar y desarrollar su actuación. Es aconsejable, asimismo, abundar en las posibilidades del aprendizaje por imitación, mediante el cual los adultos ensayan, practican las actividades al tiempo que los niños observan para después intervenir y actuar por sí mismos.

Ejercitar y reforzar los avances en concentración
y atención sostenida

Las investigaciones científicas sobre el tema han puesto de manifiesto que los niños hiperactivos mantienen durante más tiempo la atención cuando las tareas que se les propone son novedosas y/o se presentan de manera atractiva. Asimismo, tienen más motivación para realizarlas y concentrarse en su realización cuando, entre varias opciones, eligen aquellas que más les agradan, prefiriendo, sobre todo, tareas que requieren una respuesta motora (DuPaul y Power, 2002). Teniendo en cuenta estos hallazgos los adultos pueden recurrir a varias iniciativas para captar la atención y estimular la concentración del niño con TDAH. Se trata de juegos y actividades diversas, entre las que se incluyen:

- Aprendizaje de juegos y tareas que progresan en niveles de dificultad. Comenzar por tareas motoras, construir torres con fichas de madera, figuras geométricas, y progresar hacia juegos de dados.
- Asociar figuras iguales (color, forma o dibujo) entre otras.
- Mostrar imágenes de libros, cuentos (variar cuando sean ya muy conocidos) y preguntar sobre personajes, actuaciones, etc. (Ayudarle a discriminar lo relevante de lo que es insignificante en la historia.)
- Practicar ejercicios de secuencias. Ensayar actividades que consistan en escuchar y observar letras, números o símbolos y después repetirlos o copiarlos de acuerdo con la secuencia anterior.
- Construir y reproducir modelos. Emplear juegos con piezas para ensamblar. Construir figuras geométricas y pedirle al niño posteriormente que reproduzca el modelo que tiene delante.

- Clasificar objetos diferentes siguiendo un criterio común: color, forma, tamaño, etc.
- Realizar dibujos o actividades de laberintos. En este caso el niño debe recorrer el laberinto trazando una línea que avance desde un extremo a otro.

Emplear estrategias de solución de problemas

Se ha indicado anteriormente que la hiperactividad es un trastorno de carácter crónico que permanece a lo largo del curso vital y requiere que los niños afectados y sus padres aprendan métodos para hacer frente a las limitaciones características y los problemas que la vida diaria les plantean. Es normal que los adultos por sí mismos empleen tácticas para resolver las dificultades cotidianas, sin embargo, en el caso de los niños hiperactivos se hace necesario enseñarles un plan específico de actuación, estructurado en varios pasos, que les ayude a responder a las demandas y exigencias ambientales.

A continuación se expone brevemente cómo se desarrolla la estrategia de solución de problemas que, sin duda, constituye un plan de actuación válido para que usted lo ponga en práctica y afrontar así los problemas asociados a la hiperactividad que muestra su hijo. Ensaye por sí mismo el plan que se describe a continuación. Recuerde que es probable que, sobre todo al principio, no encuentre la solución idónea y pueda percibir el método como ineficaz. No debe abandonar, busque la clave de lo sucedido en la valoración de las alternativas que ha propuesto e insista en su ejecución consistente. Cuando haya aprendido su contenido y desarrollo estará en condiciones de enseñárselo a su hijo, pero no olvide ensayar y ejecutar con él cada paso hasta que lo aprenda y sea capaz de ponerlo en práctica.

En general, la estrategia de solución de problemas consiste en enseñar a las personas a identificar los problemas que les preocupan, buscar posibles soluciones y aplicar la solución más idónea allí donde se produce el problema. Se desarrolla según distintos pasos que conviene practicar para aprender y poder emplear el procedimiento ante situaciones y problemas diversos. Se trata de las siguientes fases:

1. *Definición y formulación del problema.* No intente resolver un problema sin antes precisar en qué consiste. Es decir, comience por aclarar y determinar cuál es el problema que le inquieta e intenta resolver. Procure plantearlo de forma concreta, emplee términos precisos que hagan referencia a comportamientos delimitados, evite ambigüedades e información o datos imprecisos e irrelevantes. Para ayudarle en su propósito es de utilidad que trate de buscar respuesta a las siguientes cuestiones: en qué consiste, dónde, cuándo, porqué y cómo del problema.

2. *Busque alternativas de solución.* En este punto se trata de aportar el mayor número posible de alternativas y vías de solución. Aún no debe valorar su utilidad. Tan sólo ha de preocuparle indagar sobre distintas soluciones sin analizar su efectividad. Tenga en cuenta que pueden surgirle algunas alternativas que a simple vista le parezcan absurdas o inaceptables. No las deseche, simplemente trate de abundar en el mayor número posible de alternativas de solución.

   Es aconsejable elaborar una lista con todas las alternativas posibles para después, en el paso siguiente, ir analizando una a una, según el problema, sus posibilidades y resultados.

3. *Valore cada alternativa* y tome la decisión teniendo en cuenta aquella que mejor se adapte al problema. Es decir, elija la solución que resulte más útil, posible de llevar a la práctica y más eficaz según el problema. Tenga en cuenta las consecuencias en cada caso y

argumente las razones en las que ha basado su elección. Si aún no está muy familiarizado con el proceso puede serle de utilidad escribir o hacer anotaciones respecto a las ventajas, inconvenientes y posibilidades de cada una de las alternativas que han surgido.

4. *Ponga en práctica la solución elegida y compruebe sus efectos.* Ahora es el momento de comprobar si la alternativa elegida es la más idónea para el problema que usted tiene planteado. Puede empezar imaginándose que está poniéndola en práctica y a continuación hágalo en la realidad, en la situación en la que se está produciendo el problema que le preocupa. Es decir, lleve a la práctica la solución que ha elegido y compruebe si realmente su elección ha sido acertada.

Si los resultados son los que esperaba refuércese por haber resuelto el problema satisfactoriamente. No olvide hacer lo mismo cuando su hijo termine el proceso de solución de problemas. Es muy importante elogiarle, recompensar los esfuerzos que ha realizado.

Respecto a la inhibición y autocontrol como oposición al comportamiento inquieto y desordenado del niño hiperactivo

La preocupación fundamental de los adultos respecto al trastorno de su hijo se centra en las consecuencias escolares y sociales (pobres resultados académicos, retraso escolar, dificultades de aprendizaje, etc.), si bien la sobreactividad motora no pasa desapercibida para los padres que observan con inquietud la conducta excesiva, sin límites y ajena a normas que muestra su hijo. A propósito del tema, le sugerimos que reflexione sobre las siguientes cuestiones:

¿Tiene el niño suficientes oportunidades de liberar tensiones y descargar energías?

¿Está expuesto suficientemente a experiencias y acontecimientos que le motivan y agradan?

Es claro que se trata de niños muy movidos, que requieren descargar energías; por tanto, sin olvidar la importancia del rendimiento académico, no es posible obviar e intentar anular su tendencia a la movilidad que, por otra parte, sí es compatible con la actividad física y el deporte. Así pues, es aconsejable que el niño hiperactivo realice y participe en distintas actividades que le permitan compensar y equilibrar la energía acumulada, aumentar su autoestima y garantizar la motivación para el aprendizaje. La práctica deportiva es recomendable en estos casos porque le permite tener experiencias de éxito y reconocimiento de los demás, de compañeros y de otros adultos, que tan necesarias son para los niños con TDAH, habituados a las críticas por sus fracasos escolares y dificultades de comportamiento.

Aconsejable
• Práctica regular de actividades deportivas.
• Participación en actividades deportivas en grupo.
• Fomentar oportunidades para realizar ejercicio físico.
• Programar períodos de descanso de las tareas escolares para moverse, desplazarse y salir del lugar donde se trabaja.

Evitar
• Programar actividades escolares «extra» para insistir en logros académicos.
• Añadir clases de materias «extra» (idiomas, música, etc.) que requieran inhibición y control del comportamiento infantil durante su ejecución.
• Vincular la práctica de actividades deportivas a resultados escolares.

Algunas claves para recordar

A continuación se indican algunos de los puntos y aspectos más relevantes a tener en cuenta por los padres de niños con Trastorno por Déficit de Atención con Hiperactividad para facilitar la convivencia en casa y mejorar las interacciones sociales de sus hijos.

- Adoptar el punto de vista del niño (empatizar).
- Comunicación efectiva, NO punitiva.
- Reflexionar sobre las pretensiones y conductas deseadas.
- Priorizar los objetivos con relación a la conducta del niño.
- Plantear metas razonables, NO irreales. Busque experiencias de éxito. Evite probables fracasos.
- Aprender a ser paciente y tolerante.

- Plantear normas y reglas de conducta explícitas.
- Estabilidad, coherencia y regularidad de su comportamiento como adulto.
- Mantener contacto visual frecuente.
- Dar mensajes y órdenes claros, breves y precisos.
- Ayudar al niño a organizarse y planificarse: Emplear recordatorios.
- Supervisar.

- Organizar y secuenciar tareas.
- Captar la atención y estimular la concentración.
- Emplear estrategias de solución de problemas.

Orientaciones prácticas para atenuar el estrés y mejorar la competencia personal
¿Por qué me encuentro tan agotado/a?

Los padres con hijos hiperactivos comparten la experiencia de fatiga, agotamiento mental y cansancio físico provocada y/o asociada a la convivencia diaria y educación de su hijo. Todo lo expuesto hasta aquí permite hacernos una idea de cómo es de complicada, exigente y ardua la tarea que tienen por delante estos padres, en la que invierten considerables esfuerzos y energías. Queda claro que el progreso y mejoría en el comportamiento de los niños requiere el apoyo, estímulo y dirección de los adultos, de ahí que las iniciativas emprendidas para abordar científica y profesionalmente la hiperactividad infantil se hagan eco, en los últimos tiempos, de la necesidad de prestar atención y ayuda a los padres. Hasta el momento, las propuestas desarrolladas siguen dos direcciones, a saber:

- Insistir en la adopción de métodos, iniciativas y estrategias basadas en principios de conducta, sustentadas en hallazgos científicos, para ayudar al manejo del comportamiento infantil en casa y en el colegio.
- Subrayar la importancia que, para afrontar el trastorno, adquieren los esfuerzos que los adultos han de realizar por cuidarse y preservarse en la esfera mental, física y emocional.

Cualquier experto, conocedor de la problemática y complejidad del trastorno hiperactivo, suele adoptar medidas en este sentido y proporcionar asesoramiento a los padres afectados. Es habitual aportar orientaciones, recomendaciones y sugerencias que, si bien no impiden la experiencia personal de estrés, sí pueden atenuar sus efectos. Con este propósito se mencionan a continuación algunas recomendaciones prácticas. Si usted tiene un hijo hiperactivo, intente tenerlas en cuenta, pues conviene subrayar, especialmente, que los niños hiperactivos necesitan padres equilibrados, con recursos, no limitados por el agotamiento y por el estrés acumulado. Se trata de las siguientes orientaciones.

Reflexione y delibere en torno a algunas cuestiones relacionadas con la educación y competencia personal

El malestar y la angustia de muchos padres encuentran su fundamento en algunas creencias asumidas comúnmente, sin crítica o juicio alguno, y sustentadas en la considerable presión social y familiar ejercida sobre el rol de los padres, sus esfuerzos ingentes en la crianza de los hijos, su responsabilidad en los éxitos y fracasos en la educación de sus hijos, etc. Se trata de premisas que, en realidad, se encuentran distantes de la percepción subjetiva que los adultos tienen como padres. Por este motivo, proponemos reflexionar y debatir con su pareja o familiares más próximos, entre otras, sobre las siguientes cuestiones:

- Sentimientos y percepción de fracaso *versus* deseo exagerado de hacerlo todo bien.
- Los padres han de ser personas sin defectos.
- Evitan mostrar debilidades o errores.
- No ponen límite en sus esfuerzos por educar a sus hijos.

Identifique cuáles son las fuentes que le producen inquietud y estrés

Reflexione y trate de precisar, primero mentalmente y después escríbalo, cuáles son las situaciones y acontecimientos que le preocupan y le originan malestar, incomodidad, etc., y ante los cuales usted suele responder de forma hostil e irritable. Cuando haya identificado los acontecimientos y eventos que le resultan problemáticos estará en mejores condiciones de pensar cómo afrontarlos con éxito, evitando reacciones hostiles y agresivas que, como sabe, perjudican y alteran las relaciones que mantiene con su hijo hiperactivo.

Proyecte de antemano cómo controlar y afrontar los acontecimientos conflictivos. Evite la improvisación

Algunas de las situaciones que le inquietan puede anticiparlas puesto que ha estado expuesto a ellas anteriormente y también puede predecir el comportamiento de su hijo en dicha situación. Así pues, cuando resulte inevitable exponerse a situaciones problemáticas es aconsejable anticipar, prever cuál será la conducta del niño y diseñar un plan de actuación para ponerlo en práctica en esos casos. Recuerde que dicho plan debe contemplar como ingredientes básicos los siguientes:

- Fijar normas de conducta concretas y específicas para aplicar en la situación prevista.
- Revisar con su hijo las normas acordadas antes de enfrentarse a la situación conflictiva.
- Precisar los premios y los castigos que se emplearán y administrarlos inmediatamente en función del comportamiento adaptado o disruptivo del niño en la situación específica.

Ante situaciones imprevistas e inevitables aprenda e intente poner en práctica algunas tácticas de control

Entre otras, le proponemos tomar en consideración, en estos casos, las siguientes iniciativas:

- *Demorar versus precipitar la respuesta*. Intente poner distancia respecto a la situación conflictiva. Es recomendable dejar pasar un tiempo, evite responder y actuar de forma inmediata. Piénselo, no se requiere una respuesta urgente. Si la situación se complica es mejor tomarse un margen de tiempo antes de reaccionar.

- *No se concentre en los detalles,* analice la situación y el episodio conflictivo en su conjunto. Trate de explicarlo según el punto de vista de su hijo. Es frecuente que los adultos, saturados de incidencias y circunstancias problemáticas, se encuentren exhaustos y desarmados, de ahí que tiendan a magnificar la importancia de los acontecimientos. Para evitar este sesgo es preferible relativizar, tratar de explicar lo sucedido con objetividad y distanciamiento, no exagerando las consecuencias o efectos e incidiendo siempre en las connotaciones menos aversivas y conflictivas.

- *Aplique tiempo-fuera.* Se trata de una técnica de control que consiste en retirar al niño de la situación en la cual se produce la conducta problemática y llevarlo a otro lugar, donde no encuentre elementos que puedan apoyar y reforzar su conducta, hasta que transcurra un tiempo mínimo. Recuerde, no obstante, que la aplicación de tiempo-fuera ha de ir precedida de la explicación previa al niño respecto a las consecuencias de su comportamiento conflictivo.

Reemplazar los pensamientos negativos

Aun reconociendo la dificultad que engendra, para un padre con hijo hiperactivo, reestructurar las situaciones, hemos de insistir, dada su conveniencia y utilidad, en la necesidad de aprender y esforzarse por *reemplazar los pensamientos negativos* o catastróficos que mantiene sobre la conducta de su hijo y sus consecuencias por pensamientos positivos que engendren confianza y dominio de las situaciones problemáticas.

Distracciones

Procure encontrar un período de tiempo cada día para concentrarse en actividades que le motiven, relajen y permitan evadirle de las situaciones conflictivas. Busque distracciones y planifique actividades que le refuercen, distraigan y motiven. Al hacerlo se sentirá aliviado/a y más preparado/a para afrontar las dificultades cotidianas.

Fomente las relaciones sociales

No descuide la actividad social. Las relaciones con otros adultos le permitirán distanciarse de sus problemas inmediatos e intercambiar puntos de vista y aficiones. Con este propósito, concierte citas con amigos y compañeros para reunirse periódicamente, participe en reuniones familiares y aproveche cuantas oportunidades de ocio colectivas se presenten.

Período de descanso

Planifique un tiempo para usted dedicado a descanso, vacaciones y actividades de ocio. Interrumpa las rutinas familiares y programe actividades y aficiones que le gratifiquen.

Evite sentirse solo/a y sin apoyo

Comparta sus preocupaciones e inquietudes, le beneficiará hablar con familiares y personas de confianza. Si lo hace se sentirá aliviado/a, reducirá su ansiedad y aprenderá a afrontar con más seguridad los acontecimientos estresantes. No crea que el trastorno que tiene su hijo es extraño en cuanto a su frecuencia e incidencia y que los problemas, conflictos y dificultades a los que usted, como padre/madre, ha de hacer frente son incomprensibles y ajenos para la mayoría. Si tiene dudas al respecto *recuerde* que, según algunas estimaciones, aproximadamente, un niño de cada aula de 25 alumnos puede presentar el trastorno, situándose la prevalencia entre el 3 y 5% (DSM-IV, APA, 2002) de los niños escolarizados (6-12 años), lo que indica que son muchos los menores afectados y los padres que sufren y afrontan a diario las complicaciones y problemas derivados.

Aprenda y practique relajación muscular

Participe en talleres y actividades prácticas que se programen en su comunidad o entorno más próximo encaminadas a enseñar a los adultos técnicas de respiración y relajación muscular y métodos de control emocional. Además de los beneficios que tal aprendizaje le reportará para atenuar el estrés que experimenta como consecuencia de los problemas y limitaciones asociados a la hiperactividad que sufre su hijo, la participación en este tipo de seminarios o talleres prácticos le permitirá fomentar sus relaciones sociales, distanciarse de las dificultades cotidianas y adoptar otros puntos de vista.

Solicite ayuda profesional

Dé el primer paso y confíe en el profesional con el que mantenga una comunicación más fluida. Puede ser el psicólogo que probablemente, antes, le haya asesorado sobre las dificultades académicas de su hijo, o el médico a quien consulta habitualmente los problemas y enfermedades de éste. Uno u otro responderán en un primer momento a sus inquietudes y, posiblemente, le orientarán acerca de otros expertos, conocedores del Trastorno por Déficit de Atención con Hiperactividad, que serán los encargados de evaluar, diagnosticar y tratar específicamente las alteraciones que presenta su hijo.

Algunas preguntas y respuestas

A continuación encontrará algunas de las preguntas frecuentes que los padres formulan a los expertos en relación con el contenido de las páginas anteriores.

> «He observado que el comportamiento de mi hijo empeora cuando está cansado». ¿Cómo influye el cansancio físico en su conducta?

La sobreestimulación ambiental, lugares públicos, interacciones con personas diversas, situaciones nuevas, ferias, fiestas públicas, etc., le producen excitación y cansancio por su impulsividad característica que le lleva a responder, interactuar y aproximarse a todo aspecto novedoso y desconocido de su entorno. A medida que los niños afectados llevan al extremo esta tendencia, se acumula cansancio y fatiga y se produce mayor descontrol en su comportamiento, más dificultades para que se comporten adecuadamente y cumplan con las normas y reglas de conducta acordadas. Por este motivo, es aconsejable estar atentos a las señales e indicios que revelan cansancio y agotamiento e interrumpir inmediatamente la situación.

Es conveniente que el niño hiperactivo disfrute de un ambiente estructurado, con asignación de tareas y rutinas en el que también estén previstos ciclos para el descanso. Es aconsejable planificar las actividades de ocio programando períodos para descansar, dormir y relajarse.

> Los profesionales que he consultado me han recomendado premiar y reforzar a menudo a mi hijo, pero ¿qué puedo hacer si los premios que le doy sirven de poco o nada?

Comience por revisar el tipo de premios que emplea y cómo los utiliza. Es decir, compruebe que las recompensas que proporciona a su hijo constituyen realmente incentivos, de modo que trata de comportarse adecuadamente para lograrlos. A continuación analice cuándo y cómo entrega los premios. O lo que es igual, reflexione y observe qué comportamiento/s positivo/s del niño reciben recompensas e indague si el premio lo recibe su hijo, inmediatamente, cuando se comporta bien o si, por causas diversas, usted con frecuencia olvida o retrasa su entrega. No obstante, conviene consultar todas las dudas y buscar asesoramiento en profesionales expertos en estas cuestiones.

> Cuando le hablo no me hace caso, está distraído, pensando en otras cosas. ¿Qué puedo hacer para que preste atención?

Es sabido que los niños hiperactivos tienen dificultades para prestar y mantener la atención, se distraen con facilidad, ahora bien, cuando usted le hable y pretenda que realice alguna conducta o acción, conviene que establezca contacto visual con él. No se dirija al niño «a distancia», es decir, colóquese frente a su hijo, asegúrese de que le está mirando, hable con firmeza y dé mensajes e instrucciones breves, claras y dirigidas hacia el comportamiento que espera realice el niño. Repita las instrucciones varias veces y evite darle «discursos» o emplear órdenes simultáneas.

4

Solicite ayuda profesional. ¿Por dónde empezar?

Es probable que usted por sí solo/a no pueda afrontar los problemas complejos que supone el Trastorno por Déficit de Atención con Hiperactividad. Es imprescindible que consulte con profesionales que se encargarán de efectuar el diagnóstico y proponer el tratamiento eficaz. Confíe en el experto e intercambie con él todas las dudas e interrogantes que los problemas de su hijo le planteen.

Demanda profesional. ¿Dónde buscar ayuda?

La solicitud de ayuda profesional suele tener su origen en las experiencias de fracaso acumuladas que tienen los adultos en sus esfuerzos por controlar y manejar los problemas de conducta característicos de estos niños, poniendo en práctica estrategias educativas que sí han funcionado en otros casos de hermanos y/o alumnos. Es claro que la manifestación reiterada de síntomas de inquietud, actividad excesiva, dificultad de atención, desobediencia y fracaso académico, unidos a la constatación personal de falta de recursos o medios para resolver con éxito las dificultades asociadas, constituyen desencadenantes de la solicitud de ayuda profesional que formulan los padres. Finalmente, se deciden a consultar, bien por iniciativa propia, desbordados ante la magnitud e importancia de los problemas y la ineficacia de los métodos educativos empleados tradicionalmente, o bien inducidos por terceras personas, sobre todo por profesores.

El desconcierto inicial ante la sospecha de posible hiperactividad conduce, con más o menos dilación, a tomar contacto con profesionales y expertos que desempeñan su trabajo en el ámbito de la salud infantil. Sin embargo, son comprensibles las dudas que los progenitores mantienen acerca de por dónde empezar y a quién dirigirse. Es lógico que la decisión que los padres adoptan en este sentido vaya acompañada de numerosos interrogantes sobre la demanda profesional, entre otras razones, porque nos encontramos ante un trastorno con algunas contradicciones entre su considerable difusión social e ingentes esfuerzos de investigación invertidos hasta el momento, por un lado, y los limitados conocimientos disponibles sobre su etiología o efectos terapéuticos, por otro. En general, son conocidos sus manifestaciones y efectos académicos, familiares y sociales, al tiempo que despierta interés desde hace décadas, como lo prueban los numerosos trabajos científicos y divulgativos que se publican anualmente. Sin embargo, como antes se ha indicado, aún persisten numerosas incógnitas sobre su origen y evolución que explican, en gran medida, la realidad actual caracterizada por la convivencia de distintos puntos de vista adoptados a la hora de enfocar el análisis, evaluación y terapéutica del TDAH.

En cualquier caso, la decisión que adoptan los padres sobre la demanda profesional suele ir precedida por ciertos interrogantes como, por ejemplo, los siguientes:

¿Dónde buscar ayuda para resolver los problemas de nuestro hijo?
¿A quién acudir, qué profesional es el más idóneo para tratar el problema?

Una vez decidida la necesidad de ayuda profesional, es frecuente que el primer contacto con los expertos se establezca a través, bien del médico, o bien del psicólogo del colegio, quienes tras una primera valoración derivan el problema a otros especialistas de sus respectivas disciplinas, neurólogos, psiquiatras infantiles y psicólogos clínicos, respectivamente.

No obstante, a propósito del tema, cabe señalar que desde las distintas perspectivas profesionales implicadas existe cierto consenso al indicar que la clave del éxito al tomar esta decisión depende no tanto del ámbito profesional del experto consultado, como de su experiencia y conocimiento específico sobre el trastorno que aquí nos ocupa. O lo que es igual, resultan prácticamente unánimes las opiniones de expertos y profesionales que, a modo de orientación para los posibles demandantes de tratamiento, aconsejan consultar al profesional que cuenta con experiencia y especialización en el trastorno que motiva la demanda (Hallowell y Ratey, 2001).

Así pues, si usted tiene un hijo hiperactivo y debe decidir sobre la elección del terapeuta, Barkley (1999), entre otros autores, le recomienda buscar respuestas para los siguientes interrogantes:

¿Qué tipo de trastornos infantiles suele tratar este profesional?

¿Atiende a menudo a niños con TDAH?

¿Tiene experiencia en el tratamiento de pacientes con este trastorno?

¿Cuál es su formación sobre tratamientos infantiles y, específicamente, con relación al TDAH?

¿Qué tratamiento recomienda poner en práctica?, ¿cuál es su orientación terapéutica?

¿Cómo suele estructurar y desarrollar el tratamiento?, es decir:
    ¿Cuenta con otros profesionales?
    ¿Cómo distribuye las sesiones terapéuticas?

¿Suele ser accesible para concertar citas y resolver dudas o problemas imprevistos?

No obstante, hemos de añadir en este momento, antes de exponer las distintas alternativas de terapéuticas que se aplican en la actualidad, que, dada la complejidad sintomatológica, de alteraciones y efectos asociados al trastorno por déficit de atención con hiperactividad, el tratamiento recomendado se plantea desde una perspectiva multidisciplinar según la cual psicólogos, especialistas en psicología clínica, médicos y profesores trabajan coordinadamente e integran sus actuaciones en un programa terapéutico en el que el psicólogo planifica, diseña y pone en práctica el tratamiento psicológico y el médico decide, regula y supervisa la terapia farmacológica. Esta propuesta contempla, asimismo, la intervención del profesor encargado de aplicar y supervisar la intervención psicológica en el medio escolar.

Evaluación del niño hiperactivo. ¿Me preguntarán sobre cuestiones familiares y personales?

Planteada la demanda, procede a continuación evaluar al niño hiperactivo y confirmar o descartar las sospechas iniciales. Es sabido que los niños hiperactivos constituyen un grupo heterogéneo en cuanto a sus manifestaciones sintomatológicas, incidencia y contextualización. La evaluación, por tanto, no es ajena a esta realidad, de ahí que se desarrolle desde una perspectiva multidisciplinar, pues tiene en cuenta los datos proporcionados por pruebas de distinta naturaleza y especialistas de diferentes materias. Es habitual la intervención de médicos (neurólogos, pediatras, psiquiatras infantiles), psicólogos y profesores que realizan exámenes neurológicos y pediátricos, valoraciones de la conducta infantil en casa y en el colegio y estudios sobre factores psicológicos que pueden mediar en el rendimiento académico del niño, respectivamente.

Ahora bien, la evaluación de la hiperactividad atiende a cinco grandes áreas que permiten obtener información y datos relativos a los distintos aspectos implicados en este trastorno. Se trata de (Moreno, 1995):

1. *Estado clínico del niño.* Este aspecto se ocupa tanto de los comportamientos alterados característicos del trastorno, sobreactividad motora, inquietud, déficit de atención, impulsividad, etc., como de otras conductas disruptivas asociadas, desobediencia, negativismo, desafío, hostilidad, agresividad. Sin olvidar, asimismo, las alteraciones emocionales implicadas.

2. *Nivel intelectual y rendimiento académico.* Se atiende al desempeño escolar considerando sus limitaciones académicas en los últimos cursos. La valoración de este aspecto insiste, asimismo, en las habilidades y recursos que el niño pone en práctica para resolver los ejercicios y tareas encomendadas. Se indaga, por tanto, acerca de los puntos débiles y aspectos destacados.

3. *Factores biológicos.* Su exploración se basa en la estrecha relación observada entre determinadas alteraciones cerebrales y los comportamientos hiperactivos. Se efectúa un examen exhaustivo (neurológico y pediátrico) para detectar posibles signos neurológicos u otros síntomas médicos que resulten de interés.

4. *Condiciones sociales y familiares.* Se obtiene información sobre variables ambientales y familiares de enorme relevancia, entre ellas, clima familiar, pautas educativas, habilidades conductuales de los padres, actitudes e iniciativas emprendidas por éstos para abordar los problemas del niño, acontecimientos y situaciones que parecen predisponer la aparición y exacerbación de los comportamientos disruptivos, etcétera También se indaga sobre otros factores influyentes referidos al nivel socioeconómico, ubicación de la vivienda familiar, redes de apoyo social, etc.

5. *Influencia del marco escolar.* Su estudio se enmarca en el papel relevante que desempeña el colegio, primero, en la detección de las alteraciones infantiles y, después, en la intervención psicológica y educativa que allí se propone. En este sentido se analizan factores personales y organizacionales. Respecto a los primeros se atiende, entre otros, a las pautas habituales de conducta del profesor, actitud hacia la indisciplina y vulneración de normas, estrategias docentes empleadas, etc. En cuanto a los aspectos organizacionales, interesan cuestiones relacionadas con organización y estructura del centro, ubicación, material de trabajo empleado, etc.

Específicamente, la evaluación psicológica del niño hiperactivo se apoya en tres pilares destacados: *a*) información proporcionada por terceras personas, adultos significativos (padres y profesores); *b*) informes del propio afectado, y *c*) observaciones que, sobre su conducta, realizan otras personas en el medio natural. Así pues, en la práctica clínica, además de la exploración médica, los procedimientos empleados para evaluar el TDAH incluyen entrevistas clínicas, escalas de evaluación, tests y tareas de laboratorio y registros observacionales (Moreno y Servera, 2002).

Aunque no se pretende en estos momentos exponer exhaustivamente los distintos métodos que se emplean, sí nos gustaría mencionar brevemente algunos de los instrumentos específicos utilizados en este campo. Se trata de:

1. *Entrevistas clínicas.* Constituyen la herramienta imprescindible empleada para comenzar la evaluación psicológica del niño con TDAH, de aplicación habitual a los padres. Con independencia de su contenido más o menos específico, en general toda entrevista pretende obtener información des-

criptiva de los problemas que presenta el niño y resultan de interés para adaptar la continuidad del proceso de evaluación. Además, esta técnica permite evaluar cualitativamente las interacciones familiares e identificar otros problemas y alteraciones, hasta entonces inadvertidos, que complican la dinámica familiar. Asimismo, la entrevista ayuda a crear un clima de confianza óptimo entre el profesional y los padres, imprescindible para asegurar, por otro lado, la colaboración posterior de los adultos en las propuestas futuras de intervención.

Cuando los padres son entrevistados informan, entre otros aspectos, sobre el desarrollo evolutivo del niño, sus antecedentes médicos y clínicos, rendimiento escolar, dificultades actuales e inicio de las mismas, situaciones ambientales implicadas en la aparición de los problemas, frecuencia de aparición de éstos y consecuencias que se derivan de ellos. También se indaga sobre los cambios y modificaciones observados desde su inicio, estrategias de solución adoptadas hasta el momento, resultados obtenidos, etc.

Además de entrevistas de contenido general, que pueden emplearse como primera aproximación al problema, existen entrevistas clínicas específicas para evaluar hiperactividad; destaca, entre ellas, el *Informe Parental de Síntomas Infantiles* (PACS) elaborado por Taylor y colaboradores. Se trata de una entrevista semiestructurada en la que se diferencian tres partes: historia médica personal y familiar, historia social y entrevista psicopatológica, dividida, a su vez, en tres escalas: hiperactividad, trastorno de conducta y, por último, trastorno emocional, que contiene ítems sobre la conducta del niño en el colegio. Este instrumento requiere para su administración entrevistadores cualificados, previamente entrenados, dado lo complejo de su corrección, pues son ellos quienes efectúan los juicios sobre la frecuencia y gravedad de los problemas de comportamiento referidos por los padres y lo hacen mediante una escala que oscila entre 0-3.

La escala de hiperactividad incluye cuestiones sobre los síntomas primarios del trastorno, a saber, atención sostenida, inquietud y nivel de actividad motora. Se valora la duración de la atención que presta el niño en actividades como, por ejemplo, mirar la televisión, leer, observar dibujos, jugar solo, etc. La inquietud se observa como interrupciones frecuentes de las actividades y orientación hacia otras tareas. Por último, el nivel de actividad se evalúa a través de conductas de correr y moverse en situaciones familiares que requieren quietud. A modo de ejemplo, se añaden ahora algunas de las cuestiones planteadas:

- *En la comida*, ¿se levanta de la silla sin permiso?, ¿con qué frecuencia lo hace?
- *En viajes,* ¿se sienta y levanta de su asiento?
- *De llevar a cabo alguna actividad que más le gusta*, ¿cuánto tiempo lo hizo la última vez?, ¿se levantó y se sentó frecuentemente?
- *Jugando en casa con otros niños*, ¿cuánto tiempo estuvo ocupado realizando una actividad?, ¿estuvo quieto?

En nuestro ámbito se emplea extensamente la Entrevista Semiestructurada para el TDAH desarrollada por Barkley (Barkely, 1990; Barkley, Murphy y Baumeister, 1998). Permite obtener amplia información sobre el motivo de consulta, historial médico, desarrollo infantil, historial social y escolar, composición, estructura e historial familiar, etc. Asimismo incluye el listado de síntomas y criterios diagnósticos de los trastornos más comunes en la infancia, además del TDAH, adaptado del DSM-IV (APA, 2000). Se analizan las preocupaciones actuales de los padres con relación a nuevas áreas o aspectos, en concreto se atiende a problemas de manejo en el hogar, problemas emocionales en el hogar, retraso en el desarrollo, problemas de conducta en la escuela, problemas emocionales en la escuela, problemas de interacción social con los compañeros, comportamiento fuera del hogar y de la escuela y otras preocupaciones no mencionadas anteriormente. Se indaga, asimismo, sobre los métodos de manejo y control que adoptan los padres en primera instancia para manejar los comportamientos disruptivos de su hijo y acerca de las iniciativas que adoptan cuando las tácticas anteriores no logran los resultados esperados. Se añaden cuestiones sobre el historial, de evaluaciones y tratamientos (psicológicos y/o médicos) del niño, previo a esta entrevista.

2. *Escalas de evaluación.* Se trata de instrumentos muy empleados, gozan de amplia aceptación y resultan imprescindibles para el diagnóstico del TDAH. Permiten evaluar al niño hiperactivo a través de la información que proporcionan padres y profesores que conviven con él en el medio natural.

Como ventajas añadidas destacan su facilidad y rapidez de cumplimentación. Su administración no exige experiencia o entrenamiento previo, pues requieren instrucciones breves del especialista y su posterior corrección e interpretación no exige mucho tiempo o esfuerzo. Sin embargo, en el apartado de limitaciones se encuentran, entre otras, la escasa coincidencia de los datos obtenidos cuando proceden de fuentes de información distintas, circunstancia explicada por la existencia de diferencias reales de la conducta infantil en las distintas situaciones, así como por la influencia de variables personales, motivaciones y de tolerancia al comportamiento hiperactivo por parte de los informadores, padres o profesores.

En cualquier caso, las escalas empleadas en este ámbito difieren según el concepto de hiperactividad subyacente, la fuente de información manejada, el contexto en el cual se evalúa el comportamiento del niño, la edad de aplicación, además de la calidad psicométrica de la prueba y el objetivo específico de ésta. A efectos de esta exposición, las escalas manejadas se pueden agrupar en los siguientes apartados:

- Escalas específicas para evaluar este trastorno.
- Escalas de contenido más amplio, empleadas para evaluar problemas comportamentales u otros trastornos relacionados con la hiperactividad.

No se pretende en estos momentos realizar una exposición y descripción exhaustiva de estos instrumentos, tan sólo mencionaremos las pruebas más empleadas y una breve descripción de su contenido y propiedades. En este sentido, cabe consignar las *Escalas para padres y profesores de Conners,* en sus diferentes versiones (original y abreviada). Se cuentan entre los instrumentos más conocidos y empleados en este ámbito. La forma abreviada para padres consta de 48 ítems relativos tanto al comportamiento del niño en casa como a dificultades en control de esfínteres, problemas de sueño, etc. Entre sus ítems se incluyen los siguientes: *Es impulsivo e irritable. Está en las nubes, ensimismado. Suele molestar frecuentemente a otros niños.* Este instrumento ha sido validado y adaptado a población española. Por su parte, la versión abreviada para profesores está integrada por 28 ítems que evalúan el comportamiento hiperactivo-atencional del niño en el colegio, su integración en el grupo y su comportamiento ante la autoridad. A modo de ejemplo, se añaden algunos de sus ítems: *Exige inmediata satisfacción de sus demandas. Se distrae fácilmente. Es intranquilo, siempre está en movimiento.* En cualquier caso, ambas pruebas cuentan con 10 ítems que evalúan concretamente hiperactividad y déficit de atención.

Otras escalas administradas también en este ámbito son las siguientes: *Cuestionario de Hiperactividad de Werry, Weiss y*

Peters, prueba muy valorada por los expertos porque permite analizar el funcionamiento del niño en actividades cotidianas y, por tanto, facilita la planificación de programas terapéuticos muy específicos. Estructurada en seis áreas relativas a la vida cotidiana en el hogar (durante las comidas, viendo la televisión, durante el juego, durante el sueño), fuera del hogar (en otras situaciones no escolares: viajes, compras, etc.) y en la escuela. Los adultos juzgan el comportamiento infantil en una escala que oscila entre 0-2. A continuación se añaden algunos ítems a modo de ejemplo: *Durante las comidas (Se levanta y se sienta sin motivo. Interrumpe la comida sin explicación. Juega nerviosamente con objetos). Durante el juego (No se mantiene quieto. Habla en exceso. Interrumpe el juego de otros niños). En la escuela (No se concentra en el trabajo. Molesta a los compañeros, etc.)*

Se emplea, asimismo, el *Cuestionario de Situaciones en el Hogar (HSQ)* y una forma paralela, el *Cuestionario de Situaciones Escolares (SSQ)* de Barkley. Se presentan situaciones en el hogar y en el colegio, respectivamente, en las que el niño se comporta de forma problemática. A continuación, se evalúa la presencia/ausencia de la conducta en cada una de las situaciones propuestas y, en caso afirmativo, también su severidad. Dada la especificidad de las cuestiones planteadas, constituye un instrumento valioso para la planificación de las intervenciones terapéuticas posteriores. Algunos de los escenarios recogidos en esta prueba son los siguientes. En el hogar: *Mientras juega solo. Mientras juega con otros niños. Mientras los padres hablan por teléfono. Durante la comida,* etc. En el colegio: *Cuando llega a clase. En el recreo. Durante las actividades en pequeños grupos,* etc.

En este contexto también se emplean las *ADHD-IV Rating Scales* para padres y maestros, elaboradas a partir de los criterios diagnósticos del DSM-IV. Sus ítems coinciden con dichos criterios y cuentan con amplio respaldo psicométrico. En nuestro país han sido empleadas en distintos trabajos con fines de investigación y tratamiento de niños hiperactivos.

La información precisa y específica obtenida con los instrumentos anteriores puede ser complementada con otras pruebas, de contenido más amplio, que cubren áreas problemáticas de interés. Es posible que el psicólogo, encargado de evaluar a su hijo, emplee con este propósito algunos de los siguientes instrumentos[1]:

- *Escala de Evaluación de Autocontrol* de Kendall y Wilcox.
- *Cuestionario de Problemas Comportamentales en Preescolar* de Behar y Stringfield.
- *Cuestionario de Problemas de Conducta para Preescolar* de Miranda y Santamaría.
- *Inventario Eyberg de Conducta en Niños para Padres.*
- *Inventario de Conducta Infantil de Achenbach.*

Por otro lado, la evaluación de la hiperactividad mediante la información proporcionada por el propio niño se basa, por un lado, en la entrevista con el niño afectado si la edad y sus recursos intelectuales lo permiten, y en la aplicación de pruebas que detectan déficit perceptivos-cognitivos, de coordinación visomotora y de rendimiento intelectual, por otro. Con este propósito se emplean, entre otros, la *Escala de Inteligencia de Wechsler para Niños (WISC), Test Guestáltico Visomotor de Bender y Test de Laberinto de Porteus.* Se añaden los *Tests de Ejecución Continua (CPT)*, encaminados a medir la capacidad de atención sostenida en tareas de vigilancia y de rendimiento continuo y que, en opinión de Barkley (1998), constitu-

---

[1] Para obtener información sobre los instrumentos y pruebas que se mencionan en este capítulo, pueden consultar textos de evaluación psicológica infantil, así como libros y capítulos específicos sobre evaluación de la hiperactividad.

yen las pruebas de laboratorio más válidas para el diagnóstico de este trastorno. En síntesis, en este tipo de tareas el niño ha de responder a una secuencia de estímulos que se presentan aleatoriamente mezclados con otros estímulos distractores de idéntica categoría. El reconocimiento de los tests de laboratorio procede de su utilidad para discriminar entre niños normales e hiperactivos y además son muy sensibles a las mejoras atribuidas al tratamiento farmacológico (Moreno y Servera, 2002).

Por otro lado, las observaciones y registros conductuales constituyen métodos complementarios para evaluar la hiperactividad. Su utilidad es destacada cuando se trata de analizar los determinantes ambientales de los comportamientos hiperactivos. Al plantear categorías de respuestas definidas operacionalmente, constituyen instrumentos recomendables para el diseño y planificación de las intervenciones terapéuticas y para valorar posteriormente su eficacia. Hay que añadir que estos instrumentos obtienen altos índices de fiabilidad entre jueces dadas la estructura y precisión de su contenido. Aunque es posible que cada profesional elabore su propio registro observacional, existen códigos de observación estandarizados de aplicación en este ámbito, entre ellos destacan el *Código de Observación de Conducta en el Aula*, adaptado a la población española, y el *Sistema de Codificación de Conductas Hiperactivas*.

Aparte de las pruebas mencionadas se emplean instrumentos distintos para evaluar la impulsividad, así como tests neuropsicológicos y métodos mecánicos, de aplicación en contexto de laboratorio, cuyos resultados han de ser complementados con medidas e informes del rendimiento académico. En nuestro país, concretamente en la Universidad de las Islas Baleares, se ha desarrollado un protocolo específico para evaluar el trastorno por déficit de atención con hiperactividad. Se trata del *Protocolo*

IMAT, que incluye los siguientes procedimientos (Moreno y Servera, 2002):

Entrevistas:
— Entrevista semiestructurada para el TDAH de Barkley.

Escalas de evaluación:
— CBCL (Inventario de Conducta Infantil de Achenbach y Edelbrock).
— ADHD-IV Rating Scales para padres y maestros de DuPaul, Power, Anastopoulos y Reid.
— CPTR (Escala de Hiperactividad para Padres y Maestros de Conners).

Tests y tareas de laboratorio:
— Batería de inteligencia K-ABC de Kaufman y Kaufman.
— EMIC (Escala Magallanes de Impulsividad Computarizada).
— Tarea de vigilancia IMAT.
— CPT-II (Test de Rendimiento Continuo de Conners).

Asimismo, se emplea un registro observacional elaborado por los autores.

Después de mencionar y describir sucintamente algunos de los métodos y pruebas empleados habitualmente en estos casos, conviene detenernos en las preocupaciones de los padres ante la evaluación psicológica de su hijo. Lógicamente, a los adultos les inquieta qué les van a preguntar, sobre qué aspectos va a versar la entrevista con el psicólogo, si éste se centrará únicamente en los problemas que tiene su hijo, motivo de la consulta y demanda, o si también indagará sobre cuestiones familiares y personales de los propios padres. Además, suele preocuparles su «desenvolvimiento» en tal situación, es decir, si sabrán responder y hasta qué punto lo harán correctamente a las preguntas que el experto previsiblemente les va a plantear.

Orientaciones prácticas para los padres

Si usted ha solicitado ayuda profesional y se encuentra a la espera de entrevistarse con el experto puede que le resulten de interés las siguientes orientaciones:

- Comprenda que la evaluación precisa del niño es imprescindible para establecer el diagnóstico correcto y después plantear el tratamiento idóneo en este caso.
- No aborde la entrevista con el experto con desconfianza y/o temor. Aunque algunas cuestiones puedan resultarle incómodas en cuanto hacen referencia a sus relaciones familiares y/o malestar personal, trate de afrontar las respuestas desde la perspectiva de que es imprescindible obtener información relevante para comprender los problemas y dificultades de su hijo y programar iniciativas terapéuticas que le serán de ayuda en el futuro. Evite juicios equívocos y sesgados sobre las intenciones del profesional para recabar datos e información importante.
- Tenga en cuenta que el psicólogo le formulará cuestiones sobre el comportamiento de su hijo en distintas situaciones, de su gravedad y extensión. Para facilitar y agilizar el trabajo, reflexione y trate de precisar cuáles son los problemas que le preocupan y cómo tienen lugar. Evite las observaciones ambiguas, esfuércese por aportar datos precisos que correspondan con la realidad. Abunde en los detalles y ejemplos. Plantee descripciones específicas que permitan clarificar las dificultades y problemas del niño que han motivado la demanda profesional.
- Algunas cuestiones versarán sobre los métodos que ustedes emplean para controlar el comportamiento de su hijo, así como sobre sus «puntos fuertes», es decir, habilidades y áreas en las que él destaca. La información

sobre estos aspectos resulta de gran utilidad para diseñar el tratamiento psicológico que después, tras el diagnóstico, posiblemente, le será recomendado.

- Durante la entrevista con el experto no olvide consignar aquellos otros problemas que, aunque en apariencia pudieran no ser tan importantes, también les inquietan. Tenga en cuenta, asimismo, que se le preguntará sobre el desarrollo madurativo de su hijo, sobre los hitos/complicaciones destacadas, así como sobre problemas médicos, tratamientos anteriores, etc.
- Es habitual que la entrevista con los padres comience con una descripción del procedimiento a seguir y que se aborden cuestiones de confidencialidad y consentimiento para la aplicación de distintas pruebas al niño, así como para recabar información a través de otros profesionales, médico y profesores, fundamentalmente.
- El día en que esté programada la cita con el experto recuerde llevar consigo informes y resultados de pruebas médicas o psicológicas ya realizadas.

Finalmente, cuando el psicólogo les comunique el diagnóstico, no obvie cualquier pregunta o cuestión que les preocupe sobre el significado, alcance y repercusión del mismo para el futuro de su hijo. Es probable que, a continuación, el experto le sugiera el tratamiento idóneo para el caso, así como ciertas orientaciones y recomendaciones prácticas para facilitar la convivencia con el niño hiperactivo.

Tratamiento de la hiperactividad infantil. Medicación y/o terapia psicológica

Tradicionalmente el tratamiento de elección para abordar los problemas asociados a la hiperactividad ha sido la medicación, preferentemente, estimulantes. Su facilidad de administración y la rapidez y notoriedad de sus efectos a corto plazo en los comportamientos con mayor repercusión social, entre otros factores, han apoyado durante décadas su empleo. A partir de los años setenta y sobre todo la década de los años ochenta, coincidiendo con el auge de las terapias psicológicas, caracterizadas por una notable estructuración previa y por la evaluación objetiva de sus resultados, éstas se incorporaron como alternativa eficaz al bagaje terapéutico disponible para resolver este trastorno. Sin embargo, la respuesta clínica limitada a determinadas áreas del trastorno y no extensibles a todos los niños diagnosticados como hiperactivos, amén de las limitaciones y efectos secundarios asociados a ambas opciones terapéuticas, abonaron el terreno para una aproximación de ambos tratamientos, en un intento por potenciar los efectos obtenidos por separado disminuyendo los costes y asegurando la consolidación de los resultados. De este modo, el tratamiento farmacológico y la terapia conductual-cognitiva se combinan actualmente en un modelo de tratamiento que pretende aunar las potencialidades individualizadas en aras de lograr idénticos objetivos e intereses clínicos. En las páginas siguientes nos referiremos con más detalle a estos tratamientos.

Ahora bien, desde un punto de vista aplicado y con independencia de la opción terapéutica (tratamiento farmacológico, psicológico o combinado entre ambos) finalmente seleccionada, es práctica habitual antes de iniciar el tratamiento del niño hiperactivo atender a las dudas e interrogantes que los padres tienen sobre la terapia, su influencia en las alteraciones del menor y sus posibilidades de éxito y/o fracaso. Entre los interrogantes que plantean los adultos al respecto se encuentran los siguientes:

¿Se cura definitivamente el trastorno?

¿Cuándo notaremos mejoría apreciable en el niño?

¿Cómo será la mejoría: cambiará su conducta en casa o mejorarán sus notas y el comportamiento en el colegio?

¿Por qué es recomendable una intervención precoz?

Tratamiento farmacológico

Si el tratamiento recomendado consiste en la prescripción de medicación, su inicio suele ir precedido del planteamiento de cuestiones más específicas, relativas al alcance e importancia de los efectos esperados y a las consecuencias de la medicación. Entre las preguntas habituales que formulan los padres al respecto se incluyen las siguientes:

¿Los fármacos están indicados en todos los casos de hiperactividad?

¿Cuáles son las razones que justifican su recomendación en el caso de mi hijo?

¿Hasta cuándo ha de estar el niño bajo tratamiento farmacológico?

¿Cuáles son los efectos a corto y largo plazo de la medicación?

¿Qué efectos secundarios asociados pueden aparecer?

La medicación es la alternativa terapéutica con mayor tradición, por lo que se refiere a investigación y aplicación clínica, en el ámbito de la hiperactividad infantil. En el período comprendido entre 1974-1994 más del 60% de las investigaciones publicadas versaban sobre *tratamiento farmacológico* dejando de manifiesto los efectos de los estimulantes y antidepresivos fundamentalmente en los pacientes afectados por estos problemas.

De entre todos los fármacos, son los estimulantes los más conocidos y empleados. Aunque los datos varían según la fuente consultada, se estima que entre el 70 y 90% de los niños tratados responden favorablemente al tratamiento mediante estimulantes (DuPaul y Costelo, 1999). Aunque se prescriben otros estimulantes, dextroanfetamina y pemolina, es el metilfenidato (Ritalin/Rubifen) el más empleado, estimándose que entre el 70-80% de los niños afectados mejoran su comportamiento cuando son tratados con este fármaco (Cabanyes y Polaino, 1997).

Los efectos de la medicación se aprecian a corto plazo, observándose que los estimulantes disminuyen las alteraciones comportamentales con mayor resonancia y alcance social. En concreto, desciende el nivel de actividad característico y disminuye la inquietud e impulsividad. Como consecuencia, los niños se muestran más inhibidos y predispuestos a prestar atención. En este sentido, uno de los primeros efectos que observan padres y profesores, también detectado en medidas objetivas y directas del nivel de actividad, es la reducción de los movimientos, siendo la amplitud de esta reducción proporcional al nivel de actividad inicial, previo a la administración de los fármacos. Es decir, cuanto más activos son los niños, más notable es el efecto de la medicación en su actividad motora.

Por lo que se refiere al rendimiento académico, añadir que si bien los fármacos estimulantes no aceleran el aprendizaje escolar, sí facilitan las conductas que constituyen prerrequisitos para lograr este aprendizaje, pues, entre otros logros, se ha observado que los menores afectados persisten en la realización de los trabajos escolares al tiempo que disminuyen las distracciones. No obstante, apenas se aprecian cambios académicos notables a pesar de mantener durante períodos prolongados de tiempo el tratamiento farmacológico. Por este motivo, se indica que los estimulantes no resuelven las deficiencias cognitivas subyacentes al trastorno aunque predisponen favorablemente hacia el aprendizaje.

Por otro lado, las relaciones sociales mejoran en el ámbito familiar y escolar. Se reducen los conflictos familiares y aumentan las interacciones positivas con los padres y hermanos. Mientras el niño está tomando la medicación estimulante es más obediente y persiste en el cumplimiento de normas de convivencia durante más tiempo. La mejoría observada en su comportamiento insta a padres y profesores a disminuir las órdenes verbales y a modificar el estilo restrictivo habitual, de forma que las reacciones positivas, halagos, aprobaciones y contactos con el niño aumentan notablemente.

Así pues, los expertos que apoyan y defienden el tratamiento farmacológico aseguran que ayuda a normalizar las interacciones familiares y sociales y constituye el primer paso para otros avances psicológicos.

Añadir, no obstante, que la administración de estimulantes conlleva ciertas limitaciones y efectos secundarios que hemos de consignar en estos momentos. En general, estos efectos son leves y transitorios, y se relacionan con las dosis administradas, de tal manera que suelen desaparecer cuando disminuye la dosis inicialmente prescrita o se interrumpe el tratamiento. En cualquier caso, se ha observado, con relación al metilfenidato, disminución del apetito, insomnio, dolor de cabeza, alteraciones del estado de ánimo, dolor abdominal y tics nerviosos que afectan aproximadamente al 1% de los niños tratados con medicación estimulante. Asimismo, como en cualquier otro tratamiento con medicación, en este caso existe el riesgo de sobreproteger al niño y atribuir al fármaco la responsabilidad única de la mejoría observada, cuestionando, por tanto, cualquier intento de control o cambio en el ambiente familiar y social. Por otro lado, se pueden acusar efectos adversos en el profesorado así como en las relaciones entre iguales si los compañeros conocen que el niño toma medicación debido a su comportamiento desajustado. A ello hemos de añadir los efectos negativos sobre la autoestima y competencia personal que los niños afectados pueden experimentar. En algunos casos pueden sentirse diferentes y asignar el éxito que últimamente tienen en el colegio a la acción de la medicación en lugar de atribuirlo a su propio esfuerzo y habilidad. En todo caso, el papel y actitud de la familia respecto a la medicación es de enorme importancia para atenuar o agravar estos efectos psicológicos.

Sin embargo, una de las principales limitaciones del tratamiento farmacológico tiene que ver con el mantenimiento de sus efectos terapéuticos a largo plazo, tanto en lo que se refiere al comportamiento como al rendimiento académico y las relaciones interpersonales adaptadas entre los adolescentes. O lo que es igual, no queda claro que los beneficios persistan durante meses y/o años una vez interrumpida la medicación.

En cualquier caso, la utilidad y eficacia de los estimulantes para tratar este trastorno ha quedado de manifiesto en los resultados de una amplia investigación conocida como Multimodal Study of Children with Attention-Deficit-Hyperactivity Disorder y apoyada por el National Institute of Mental Health (The MTA Cooperative Group, 1999), en la que se concluye que el tratamiento farmacológico es superior, en cuanto al control de los síntomas y alteraciones características, al tratamiento conductual y a la opción que combina medicación y tratamientos conductuales-cognitivos.

Cuestiones de interés para los padres

No obstante, llegados a este punto, conviene apuntar algunas cuestiones de interés para los padres relacionadas con el tratamiento farmacológico. Se trata de:

- La rapidez e inmediatez de los efectos observados en los comportamientos más problemáticos de la hiperactividad puede explicar el empleo, no siempre justificado en función del diagnóstico, de este tipo de tratamiento. Los padres, antes de consentir al respecto, han de considerar que los datos disponibles sobre efectos descritos proceden, en su mayoría, de investigaciones con niños que tenían siete o más años, habiéndose establecido el período crítico para su administración entre los seis y doce años. En edades inferiores los resultados no son tan claros y, por tanto, su empleo no es recomendable, entre otras razones, porque el diagnóstico de hiperactividad es menos preciso y por la propia composición de los fármacos indicados en estos casos.

- Incluso, como señalan DuPaul y Costello (1999), el diagnóstico de TDAH no tiene por qué derivar automáticamente en la prescripción de estimulantes o de cualquier otro fármaco. Si usted, como padre/madre, tiene dudas al respecto, estos autores le proponen buscar respuestas para las siguientes cuestiones:

¿Se ha realizado una evaluación médica y psicológica exhaustiva a su hijo antes de recomendar la medicación?

¿Qué edad tiene su hijo?

¿Hasta qué punto son graves y severos los problemas que muestra el niño?

¿Se han puesto en práctica antes otras opciones terapéuticas para resolver estos problemas?

¿Cuál es su opinión y actitud hacia el tratamiento farmacológico?

¿Puede usted inspeccionar y supervisar regularmente la prescripción médica propuesta para su hijo?

¿Ha presentado el niño con anterioridad tics nerviosos, alteraciones del pensamiento, etc.?

¿Es su hijo muy ansioso o miedoso?

¿Convive con el niño algún familiar adicto a sustancias tóxicas?

¿Cuál es la actitud y expectativas del niño hacia la medicación?

No obstante, si dudan sobre la conveniencia del tratamiento farmacológico recomendado para su hijo o les inquieta cualquier aspecto relativo al mismo, deben hablar con el médico y exponerle con claridad sus preocupaciones al respecto.

- El efecto de los fármacos es temporal y transitorio. Los efectos de una dosis del fármaco prescrito se prolongan unas horas (aproximadamente entre cinco y siete horas). Esto indica que la prescripción coincidirá, posiblemente, con el horario escolar y que el niño deberá tomar medicación diariamente durante cierto tiempo aunque, probablemente, se programarán períodos libres de medicación coincidiendo con vacaciones.
- Si bien los datos sobre efectividad de los estimulantes son evidentes, es complejo prever cuál será la respuesta de cada niño al tratamiento farmacológico. Conviene recordar que aproximadamente entre el 10 y 30% de los niños no responden positivamente al tratamiento (DuPaul y Costello, 1999) y que en torno al 25% sufren efectos secundarios que aconsejan suspender o interrumpir la medicación recomendada.
- La prescripción farmacológica exige supervisión médica de los niños mientras se prolonga el tratamiento. A través del seguimiento del paciente el profesional adaptará las dosis necesarias según los progresos observados en el niño y controlará los efectos secundarios que pueden aparecer.
- *Si su hijo va a tomar medicación en los próximos meses* conviene que le explique, teniendo en cuenta los informes que el médico le haya proporcionado al respecto, por qué ha de tomarla y cuáles serán, previsiblemente, sus efectos. Si usted, como padre/madre, se encuentra en esta situación algunas de las siguientes indicaciones pueden resultarle de interés:

a) En su explicación evite mencionar etiquetas o califica-
tivos para justificar el tratamiento farmacológico. Por
ejemplo: «Porque eres hiperactivo, inquieto, etc.».

b) No asocie la medicación con enfermedad. Debe evitar que el niño entienda que está enfermo o que es
distinto a los demás, motivo por el cual debe tomar
fármacos.

c) Asigne a la medicación el papel de *ayudar a*… Explíquele a su hijo que los fármacos le *ayudarán* a prestar
más atención, a no moverse tanto del asiento, a organizar mejor su trabajo, etc. En definitiva, los com-
primidos le serán de ayuda en su esfuerzo cotidiano
que, probablemente, se verá recompensado.

d) Proporcione información a su hijo sin provocar alarma
por la continuidad del tratamiento o por el retroceso,
en su comportamiento o habilidades, que puede producirse si no toma o interrumpe la medicación.

e) Trate de resolver las dudas y preguntas que su hijo
le plantee sobre los fármacos que le han sido pres-
critos. Si ignora alguna respuesta dígale que lo con-
sultará con el médico y después le responderá.

f) Evite comentarios en público sobre la necesidad de
prescribir medicación para atenuar los problemas
de su hijo. La difusión de esta circunstancia en nada
beneficia al niño y puede perjudicarle por el juicio
y crítica social que ello puede acarrear.

Tratamiento psicológico: terapia cognitivo-conductual

La aplicación de este tratamiento, dada su complejidad y
los requisitos imprescindibles de motivación e implicación
de los adultos para llevarlo a cabo, sugiere a los padres algu-

nas dudas y preocupaciones. Es habitual que los adultos planteen las siguientes cuestiones:

¿Puede oponerse el profesor (o el centro escolar) a seguir las indicaciones terapéuticas propuestas por el psicólogo?
¿Cuánto va a durar el tratamiento psicológico? ¿Finalizará al mismo tiempo que el curso escolar?
¿Por qué es tan relevante nuestra ayuda en el tratamiento psicológico?
¿Qué ocurrirá si no sabemos o no podemos hacer en casa lo que el experto nos recomienda?

Las intervenciones conductuales en los casos de hiperactividad se han desarrollado extensamente a partir de los años setenta, tras la publicación de distintos trabajos en los que quedaba de manifiesto que era posible manejar el comportamiento de los niños afectados introduciendo ciertos cambios y modificando los factores y variables ambientales implicados.

El *tratamiento cognitivo-conductual* para tratar hiperactividad se lleva a cabo actualmente en el marco de *programas multicomponentes* integrados por distintas técnicas operantes (reforzamiento, extinción, economía de fichas, coste de respuesta, etc.) y cognitivas (entrenamiento en autoinstrucciones y terapia de solución de problemas, fundamentalmente) que se insertan en un *régimen de tratamiento unitario.* La propia naturaleza del trastorno, los resultados apenas concluyentes de los procedimientos conductuales y cognitivos cuando se han administrado por separado y las respuestas limitadas, observadas tan sólo en algunas áreas características del trastorno, explican en gran medida el auge que han adquirido estos programas en el ámbito de la hiperactividad.

Se trata de propuestas de intervención organizadas en fases secuenciadas, con estructura y contenido propios que pretenden unificar en una actuación común las intervenciones específicas dirigidas *al niño afectado,* por un lado, y a los adultos, *padres y profesores,* por otro. En términos generales, estos programas se caracterizan por las siguientes cuestiones:

a) Contenido técnico heterogéneo, pues se emplean procedimientos diversos para aplicar en casa y en el colegio.
b) Papel destacado de las técnicas cognitivas administradas al niño hiperactivo.
c) Extensión temporal del tratamiento. Su aplicación se desarrolla durante varios meses, prolongándose con frecuencia a lo largo del curso escolar.

Constituyen elementos activos de este tratamiento los *procedimientos operantes,* los *programas de entrenamiento a padres* y las *técnicas cognitivas* aplicadas al niño. En síntesis, los métodos operantes se orientan hacia el control de los comportamientos problemáticos y suponen que éstos dependen de factores, acontecimientos o estímulos presentes en el ambiente. En consecuencia, al controlar y modificar las circunstancias ambientales se admite que será posible alterar y mejorar el comportamiento infantil. Su aplicación en este ámbito supone, por tanto, administración sistemática de consecuencias positivas y negativas, premios y castigos, en un entorno muy estructurado en el que padres y profesores desempeñan un papel muy destacado.

Así pues, el tratamiento psicológico de la hiperactividad incorpora como elementos activos a los adultos que conviven diariamente con el menor afectado. Padres y profesores asumen la responsabilidad de aplicar las indicaciones terapéuticas en casa y en el colegio, de ahí que se hayan propuesto programas e iniciativas específicas para entrenar a los padres de niños afectados con este trastorno.

No se pretende, en este momento, describir exhaustivamente las propuestas para formar a los adultos en estas cuestiones; tan sólo señalaremos, a modo de síntesis, que, en general, el entrenamiento a los progenitores se estructura en torno a varias sesiones. En las primeras se exponen los conocimientos actuales sobre el trastorno hiperactivo y se discuten los aspectos implicados en los conflictos e interacciones familiares, haciendo especial hincapié en los principios conductuales. Posteriormente, se describen y explicitan las estrategias eficaces para ignorar comportamientos disruptivos y fomentar conductas adaptadas, insistiendo en el uso de técnicas específicas encaminadas a manejar adecuadamente las influencias ambientales que están implicadas. Asimismo, se atiende a las posibilidades de afrontamiento que tienen los padres, respecto a las alteraciones infantiles, en contextos públicos y, por último, se proponen alternativas de solución ante futuros y previsibles problemas.

A continuación se expone el Programa de Entrenamiento de Padres con niños diagnosticados como hiperactivos, desafiantes u oposicionistas de Barkley, que se encuentra estructurado en las siguientes fases:

- Explicar y comprender las causas de las conductas anómalas.
- Aprender los padres a prestar atención a las conductas apropiadas.
- Estrategias para incrementar obediencia, juego independiente y aprender a dar órdenes eficaces.
- Aplicar un sistema de economía de fichas en el hogar.
- Aplicación de tiempo fuera.
- Anticipar problemas y aprender a manejar el comportamiento infantil en lugares públicos.
- Mejorar el comportamiento del niño en el colegio.
- Cómo manejar problemas futuros de comportamiento.
- Por último, sesión de apoyo al programa de entrenamiento desarrollado.

Por otro lado, con relación al propio niño hiperactivo, la intervención psicológica tiene como objetivo atender a las distorsiones y déficit cognitivos que acompañan a la hiperactividad infantil. Pretende, por tanto, desarrollar en los niños habilidades cognitivas de solución de problemas y de afrontamiento de situaciones problemáticas. Con este objetivo se emplea fundamentalmente la técnica conocida como *Entrenamiento en Autoinstrucciones* que, en síntesis, consiste en modificar las verbalizaciones internas que un individuo emplea cuando ha de realizar cualquier tarea y sustituirlas por instrucciones que son apropiadas para lograr el éxito en la misma. Se desarrolla a partir de distintas fases a través de las cuales el adulto modela y refuerza las conductas apropiadas que emite el niño. Otro componente destacado de los tratamientos psicológicos es el *Entrenamiento en Solución de Problemas* encaminado a enseñar a los niños una estrategia de solución de problemas que les permita analizar el problema, buscar soluciones eficaces, elegir la más idónea al caso y aplicarla en el entorno concreto.

Se han diseñado varios programas de intervención psicológica que incluyen ambas técnicas, mencionar tan sólo algunos de los más conocidos, entre ellos, el procedimiento conocido como *Técnica de la Tortuga* que se puede emplear con niños de preescolar y de primer ciclo de educación primaria, el programa *Párate y Piensa* estructurado en veintidós sesiones, el programa *Pensar en Voz Alta* encaminado a aumentar las habilidades sociales y de autocontrol en niños con síntomas hiperactivos y el *Programa Multimodal* para tratar hiperactividad infantil que, además de contemplar la intervención de los padres y el profesor, se ocupa de la programación y planificación específicas del aprendizaje escolar para mejorar el rendimiento académico del niño hiperactivo.

Si nos centramos en los objetivos y fines de estas propuestas terapéuticas, no cabe duda de que su propósito es ambicioso. Se trata de extender la mejoría clínica del paciente a distintos ámbitos y áreas afectadas intentando, de este modo, responder a la preocupación compartida por los profesionales que trabajan en este campo de ofrecer soluciones que persistan a través del tiempo y puedan generalizarse a situaciones diversas. Con este objetivo se desarrolla una estrategia eficaz y sistematizada de intervención que se aplica y desarrolla, como hemos mencionado, en el medio natural en el que vive y se desenvuelve el niño hiperactivo.

Cuando se han analizado los *resultados* obtenidos por los tratamientos conductuales-cognitivos observamos que se diferencian efectos observados en el propio *niño hiperactivo,* por un lado, y en los *adultos,* que han recibido formación y entrenamiento específico, por otro. Respecto al propio niño hiperactivo, se aprecian mejoras en la atención y rendimiento académico. Disminuye la actividad motora característica y se observa una mejoría significativa en la adaptación social, al tiempo que decrecen las interacciones sociales hostiles y aumenta la aceptación del niño por sus iguales, repercutiendo estos efectos en la reducción de los conflictos en casa y especialmente en el colegio. En cuanto a los adultos, se ha observado que el entrenamiento específico recibido y su participación en la terapia contribuye, entre otros aspectos, a: 1) mejorar la percepción de padres y profesores respecto al comportamiento general del niño hiperactivo; 2) adquirir más habilidades conductuales para el control de la conducta infantil en el medio natural y, en el mejor de los casos, generalizarlas para resolver otras situaciones conflictivas no previstas inicialmente; 3) mejorar las relaciones familiares, especialmente las interacciones padres-hijo y, consecuentemente, 4) disminuir significativamente el estrés familiar, al tiempo que, en el colegio, el clima general de la clase es más positivo y adaptado.

Teniendo en cuenta estos resultados y desde una perspectiva que insiste en asegurar la validez social y clínica de las intervenciones psicológicas más allá de la reducción específica de los síntomas característicos del TDAH, Pelham y Gnagy (1999), citados en Moreno y Servera (2002), han definido y estructurado cuál ha de ser el contenido de los tratamientos psicológicos para que resulten efectivos en este campo. Con este fin, se subrayan los elementos críticos y los componentes relevantes de esta terapia (tabla 4.1).

TABLA 4.1
Tratamiento cognitivo-conductual de la hiperactividad:
Estructura y componentes destacados

Entrenamiento de padres	• Aproximación conductual. • Foco del entrenamiento: comportamiento y relaciones familiares. • Sesiones semanales con el terapeuta, inicialmente en grupo. • Programa específico para consolidación de los aprendizajes y prevención de recaídas. • Prolongar los contactos terapeuta-padres entre 2 y 3 años. • Restablecer contacto terapeuta-padres al comienzo de la adolescencia.
Intervención escolar	• Aproximación conductual. • Foco de la intervención: conductas en clase, rendimiento académico y relaciones entre iguales. • Implicación y ejecución por parte del profesor. • Supervisar el trabajo del profesor, al principio semanalmente, después desvanecer. • Mantener el contacto terapeuta-profesor durante algunos años. • Plantear programa específico para consolidación de logros y prevención de recaídas. • Restablecer contacto terapeuta-profesor al comienzo de la adolescencia.

TABLA 4.1 *(continuación)*

Intervención en el niño afectado	• Enfoque conductual y evolutivo. • Foco de la intervención: Aprendizaje académico, competencias sociales y conductuales, disminución de la agresión, fomentar relaciones de amistad y crear expectativas de autoeficacia. • Tratamientos intensivos (9 h diarias, durante 8 semanas), a lo largo del curso escolar e, incluso, una vez finalizado éste. • Prolongar la intervención durante un tiempo amplio (2 o 3 años). • Programar la generalización de la mejoría y prevención de recaídas.

Como podemos observar (tabla 4.1), independientemente de la mención a técnicas o procedimientos específicos, la *intervención intensiva y prolongada* que se propone tiene tres campos de actuación, a saber: el propio niño afectado, sus padres que reciben entrenamiento específico y el ámbito escolar. En los tres casos, las actuaciones recomendadas comparten el enfoque conductual de referencia, la insistencia en prolongar la intervención psicológica, asegurar la consolidación de los logros obtenidos y prevenir recaídas. Por el contrario, difieren, además de en los destinatarios de las actuaciones psicológicas, en las conductas sobre las que ha de centrarse la intervención.

Una vez descrito el contenido y los elementos relevantes del tratamiento psicológico que se aplica en la actualidad para resolver con éxito los problemas hiperactivos, hemos de consignar, tal como hicimos anteriormente en el caso del tratamiento farmacológico, las limitaciones y aspectos críticos de esta terapia. Entre los inconvenientes, se incluyen (Moreno y Servera 2002):

1. *Complejidad intrínseca de los programas terapéuticos desarrollados.*
2. *Extensión temporal de las intervenciones psicológicas.*
3. *Implicación activa de terceras personas en el tratamiento.*

Veamos, a continuación, brevemente estas cuestiones.

Se ha mencionado que los programas psicológicos empleados para tratar hiperactividad infantil están integrados por un abanico amplio de técnicas conductuales y cognitivas cuya aplicación, en cualquier caso, ha de estar sujeta a la evolución de las alteraciones infantiles tratadas. No cabe duda de que la aplicación conjunta de procedimientos distintos requiere controles técnicos precisos y regulares, sobre todo porque, como antes se ha indicado, en la mayoría de estos programas el paciente no es el único destinatario de las intervenciones, los adultos, padres y profesores participan activamente tras recibir entrenamiento dirigido y supervisado por el psicólogo.

Asimismo, el desarrollo del tratamiento psicológico va precedido por un trabajo previo de planificación y sistematización adaptado según la problemática específica del niño tratado. De modo que, si bien, los programas terapéuticos presentan una estructura básica común que constituye el marco general de intervención, su aplicación exige una actuación diversificada por parte del experto que se traduce, entre otras, en *a)* tareas de coordinación entre educadores-padres-psicólogo (terapeuta de conducta), *b)* seguimiento y supervisión regular de las aplicaciones técnicas y de las actuaciones de los padres y profesores en el medio natural (en casa y en el colegio), *c)* adaptación de la planificación terapéutica previa de acuerdo con la evolución del paciente infantil y las incidencias no previstas. Se trata, en definitiva, de funciones que introducen complejidad y exigen alto nivel de preparación y especialización para llevar a cabo este tratamiento.

Por otro lado, los programas terapéuticos diseñados, por sus propios objetivos y naturaleza, se prolongan en el tiempo, extendiéndose su aplicación a lo largo de varios meses, no limitados estrictamente al período académico. Además, en ocasiones, es necesario programar distintas actuaciones psicológicas en fechas de vacaciones. Sin embargo, es importante señalar en este punto que la extensión y prolongación temporal del tratamiento constituye una condición imprescindible para responder al carácter crónico de este trastorno, aunque tal circunstancia conlleva ciertos riesgos, sobre todo, de abandono terapéutico y de retroceso en las habilidades conductuales y cognitivas aprendidas por el propio niño y sus padres durante etapas más intensas y activas de la intervención psicológica. En este sentido, es frecuente que los adultos manifiesten sus dudas acerca de la posibilidad de cumplir las pautas conductuales en períodos prolongados de tiempo, factor que, sin duda, se agrava considerablemente si no existe una supervisión regular por parte del experto responsable de la terapia.

Por otro lado, una de las principales *preocupaciones* relacionadas con la participación tan activa de los adultos en los tratamientos psicológicos que empleamos para tratar el TDAH, se refiere a cómo lograr que padres y profesores se mantengan activos durante el desarrollo de la terapia. Es lógica y comprensible esta preocupación, pues se sabe que los resultados del tratamiento del niño dependen en gran medida de cómo se desarrolla la aplicación, seguimiento y consolidación de los aprendizajes que a través de sesiones de entrenamiento específicas han adquirido los adultos, en el contexto familiar y escolar en el que se desenvuelve el paciente infantil.

Para dar respuesta a esta preocupación y con el objetivo de asegurar la participación de padres y profesores y consolidar su motivación mientras se prolonga el tratamiento de su hijo o alumno hiperactivo, los expertos han propuesto algunas orientaciones y actuaciones que conviene tener en cuenta en el momento de diseñar y planificar el desarrollo de la terapia psicológica indicada en estos casos. Se trata de:

- Insertar las recomendaciones e indicaciones terapéuticas en las pautas habituales y cotidianas de los adultos. O, lo que es igual, no interrumpir ni alterar significativamente la rutina y hábitos diarios que conforman la vida de los padres y profesores implicados.
- Evitar programar la actuación y participación de los adultos al margen de sus posibilidades y objetivos. Es decir, la terapia que se proponga en cada caso ha de ajustarse a la realidad y determinantes de los participantes, teniendo en cuenta los objetivos y conductas que, a juicio de padres y profesor, resultan relevantes en su entorno habitual.
- Prever y garantizar que la intervención de padres y profesor origine cambios notables en la conducta del niño. Es decir, maximizar en lo posible la participación de los adultos y, por tanto, implicarlos en iniciativas que logren resultados visibles. O lo que es igual, no es conveniente, porque, entre otras razones, puede causar desmotivación e incluso interrupción de las indicaciones que el psicólogo les haya hecho, implicar a los progenitores en actuaciones que previsiblemente apenas originarán mejoría en el comportamiento del niño o que, de producirse, los cambios se observarán a largo plazo.
- Durante el tratamiento del niño hiperactivo, el experto ha de asegurar el apoyo y reforzamiento por el trabajo que los adultos involucrados en la terapia desempeñan con relación al menor.
- Es importante garantizar que otros adultos, familiares, profesores del centro, etc., apoyan y recompensan el es-

fuerzo que padres y profesor realizan para modificar el comportamiento problemático del niño hiperactivo.

- Hay que fomentar, entre los adultos implicados, estrategias de autocontrol ante situaciones problemáticas, habilidades de solución de problemas en caso de dificultades y obstáculos no previstos al principio del tratamiento y habilidades de comunicación con el menor afectado.

- Conviene programar breves y periódicos contactos entre el experto y los padres y/o profesor que participan en el tratamiento.

Consideraciones de interés para los padres

Así pues, *si su hijo va a recibir tratamiento psicológico en breve*, conviene tener en cuenta las indicaciones y consideraciones que se mencionan a continuación:

- Desde este enfoque de tratamiento se hace especial hincapié en las consecuencias que siguen a un comportamiento cuando aparece. Así, se considera que las conductas se emiten y mantienen por los efectos que provocan en el ambiente. Con frecuencia, los adultos, padres, profesores y también compañeros prestan mucha atención a las conductas problemáticas del niño hiperactivo; sin embargo, son raras y ocasionales las referencias positivas en forma de alabanzas, elogios, etcétera, por las habilidades y conductas adecuadas del propio niño. De alguna manera, parece que lo único que resalta de éste son sus comportamientos alterados, como si, en realidad, nunca hiciera nada que pudiera ser objeto de comentarios favorables y positivos por parte de sus familiares y amigos.

- Algunas de las claves del éxito de los tratamientos psicológicos, conductuales-cognitivos, se encuentran en las siguientes cuestiones:

  — *Diseño terapéutico individualizado.*
  — *Aplicación intensiva, sistematizada y prolongada.*
  — *Desarrollo de la terapia en ambientes estructurados, con padres y profesores motivados y previamente formados.*

- Para asegurar y garantizar la participación activa e imprescindible de los adultos en los tratamientos de niños hiperactivos, la intervención psicológica se amplía más allá de las sesiones de entrenamiento conductual a través de supervisión y asesoramiento prolongado a los adultos implicados en la actuación psicológica.

- Los programas terapéuticos basados en los principios conductuales, antes mencionados, requieren que los adultos —padres, en este caso— sean sensibles a la influencia que los factores del ambiente desempeñan en el comportamiento del niño. Este planteamiento ha de ser acorde con la predisposición de los progenitores a modificar su propio comportamiento para ayudar a su hijo. Si usted, como padre/madre, no comparte tales presupuestos previos es probable que este tipo de tratamiento no responda a sus expectativas y, por tanto, tal vez no resulte adecuado en su caso. Si se encuentra en esta situación, no dude en considerar otra opción terapéutica (Barkley, 1999).

- La aplicación del tratamiento antes descrito, por su propia naturaleza y complejidad, requiere cierto tiempo de administración antes de observar progresos significativos. Por tanto, no prevea cambios inmediatos y rápidos en el comportamiento de su hijo. *Recuerde* que la clave del éxito está en la *administración intensiva, sistemática y coherente* de las indicaciones terapéuticas propuestas por el psicólogo.

- Debe *contactar con el experto* en caso de:

  — Tener dudas sobre alguno de los aspectos relacionados con su participación y el trabajo que usted ha de desempeñar en casa, siguiendo las indicaciones del terapeuta. Es mejor consultar con el profesional antes que modificar por propia iniciativa el régimen de tratamiento acordado.
  — Mantener preocupaciones sobre los cambios que usted observa en su hijo. Aclare sus inquietudes respecto al alcance de esos cambios y a su duración.
  — Si le resulta complicado recordar y aplicar alguno de los principios y pautas señaladas.
  — Preste atención a su propio estado emocional. Consulte con el psicólogo en caso de sentirse desmoralizado y angustiado, cuando experimente la sensación de no poder continuar, o de encontrar muchos obstáculos y escasos éxitos.

- Acuerde con el profesional mantener contactos y revisiones periódicas para comprobar los progresos de su hijo, resolver los problemas que aparecen y aminorar sus preocupaciones sobre el desarrollo de la intervención psicológica recomendada.

Tratamientos combinados: medicación y terapia cognitivo-conductual

Es frecuente que los profesionales de salud mental recomienden a los padres no excluir ninguna posibilidad y beneficiarse de los logros y ventajas que acompañan a la medicación y al tratamiento psicológico por separado. Ante esta recomendación los padres suelen plantear algunas de las preguntas siguientes:

¿Es posible compaginar el tratamiento médico y el programa de intervención propuesto por el psicólogo?

¿Cuáles serán los beneficios de esta alternativa para mi hijo?

¿Puede perjudicar a mi hijo que lo vean y atiendan el médico y el psicólogo por el mismo problema?

¿Quién supervisará regularmente al niño?

¿Qué puedo hacer si las indicaciones y juicios, del médico y psicólogo, sobre los efectos y progresos de mi hijo no coinciden?

Desde hace años, y teniendo en cuenta la respuesta limitada que cualquiera de las opciones terapéuticas anteriores aportan al trastorno hiperactivo, se recomienda una tercera alternativa que resulta de la combinación del tratamiento farmacológico y de la terapia psicológica desarrollada mediante técnicas conductuales-cognitivas. Los esfuerzos por integrar las aportaciones y beneficios alcanzados por cada una de las propuestas de intervención en este campo se vienen realizando, tanto para sumar los efectos terapéuticos de ambos tratamientos como para aprovechar la metodología conductual en aras de favorecer la administración y adherencia, por parte del paciente y sus padres, al tratamiento farmacológico recomendado.

En cualquier caso conviene indicar que, por su propia naturaleza, objetivos e incluso procedencia conceptual y metodológica, las terapias combinadas hacen realidad el trabajo y coordinación multidisciplinar, tan deseable en las intervenciones infantiles. Entre las razones que explican esta fórmula terapéutica combinada, y hasta ahora excepcional en el ámbito de la salud mental infantil, se encuentran las siguientes:

1. Preocupación generalizada y compartida por profesionales de distinto ámbito por la efectividad restringida de los tratamientos administrados en este campo, por sus limitaciones y efectos secundarios.
2. Comorbilidad de los trastornos infantiles.
3. Necesidad de optimizar los resultados de las terapias tradicionales, reduciendo los costes y consolidando su mantenimiento.

Hasta ahora se ha admitido, guiados más por objetivos clínicos y criterios prácticos que por resultados concluyentes, que esta opción logra una mejoría más amplia que las alternativas tradicionales, aplicadas por separado, en el universo de problemas que afectan a los niños hiperactivos. Sin embargo, los hallazgos obtenidos en la investigación antes mencionada (MTA, Cooperative Group, 1999) ponen en duda esa cuestión. No obstante, al respecto hay que añadir que los niños tratados en dicho estudio no mejoraron sólo con la medicación (una de las conclusiones más relevantes), aquellos que recibieron tratamiento combinado (fármacos y terapia psicológica) también lograron mayor control de los síntomas y mejoría notable en su adaptación social. Más aún, la satisfacción de los padres era significativamente mayor al comparar el tratamiento combinado respecto a la medicación únicamente. Lo cual indica, como han señalado numerosos autores, que los padres valoraban positivamente el trabajo específico realizado con ellos, esto es, el asesoramiento y entrenamiento recibidos, así como los componentes del tratamiento conductual intensivo que se administró.

En cualquier caso, la terapia combinada (medicación y tratamiento cognitivo-conductual) constituye una opción válida, no excluyente, pues los niños afectados y sus padres pueden beneficiarse de los efectos de la medicación al tiempo que los menores aprenden a autocontrolar su conducta para adaptarla a las exigencias escolares, familiares y sociales. Los adultos, por su parte, adquieren habilidades conductuales apropiadas para manejar los comportamientos problemáticos de sus hijos y para disponer las condiciones ambientales de modo que se vean favorecidas las posibilidades de los niños.

Añadir, por último, que la realidad actual pone de manifiesto la existencia y funcionamiento de equipos multidisciplinares, en los que trabajan eficaz y coordinadamente distintos profesionales, haciendo posible y viable la administración de este tipo de tratamientos para tratar a los niños con TDAH.

Distintos tratamientos. ¿Qué tienen en común?

Aunque las investigaciones recientes sobre efectividad terapéutica parecen aportar algo de luz en un panorama extremadamente confuso, lo cierto es que puede resultar aún prematuro abogar claramente por un tratamiento y excluir, como ineficaz, cualquier otro. En páginas anteriores se han mencionado los puntos fuertes y débiles de cada opción terapéutica; llegados a este punto cabe preguntarse, admitiendo previamente la distinta procedencia conceptual, metodológica y técnica de los tratamientos farmacológicos y psicológicos, hasta qué extremo coinciden en su aplicación y desarrollo. En este sentido, conviene indicar, desde una perspectiva integradora, los aspectos comunes que comparten las intervenciones destinadas a tratar los problemas complejos que definen el trastorno que aquí nos ocupa. Se trata de los siguientes (Moreno y Servera, 2002):

- Individualización.
- Contextualización.

- Implicación, más o menos activa, de los adultos responsables.
- Trabajo interdisciplinar.
- Seguimientos periódicos.
- Requisitos profesionales.

a) Individualización. Por las características y problemática señalada el tratamiento de la hiperactividad se aleja de la posibilidad de protocolos estandarizados aplicables de forma generalizada a los pacientes infantiles. Las respuestas individuales, variables a los tratamientos de elección, la heterogeneidad de los síntomas y de los problemas asociados, unido a la importancia que cobran los factores familiares en el desarrollo del trastorno, aconsejan seleccionar el tratamiento tras un estudio exhaustivo y pormenorizado de las peculiaridades de cada caso por separado.

Es claro que este análisis individualizado ha de considerar no sólo los problemas nucleares y característicos del TDAH; también resultan de interés para diseñar el programa de intervención posterior cuestiones que se refieren a la historia personal en habilidades de autocontrol, los recursos cognitivos y emocionales que el paciente tiene y las posibilidades de éxito (continuidad del tratamiento, seguimiento de las prescripciones recomendadas, etc.) que las distintas terapias pueden obtener. El resultado de este estudio debiera indicar la opción terapéutica más adecuada en cada caso y sus condiciones de aplicación.

b) Contextualización. La práctica clínica infantil pone de manifiesto la necesidad de diseñar programas de intervención que contemplen los aspectos peculiares del contexto en el cual se administrará el tratamiento. La forma de reaccionar e interaccionar los padres, familiares, profesores con el niño, el tipo de apoyo explícito o implícito que reciben los comportamientos hiperactivos en el entorno social, los recursos psicológicos y conductuales con los que cuentan los padres y el entorno familiar, así como las exigencias y demandas del centro escolar e, incluso, la actitud y formación de los profesores implicados, constituyen algunos de los elementos a tener en cuenta en el momento de diseñar y planificar una intervención específica.

No cabe duda de que ningún tratamiento será viable, incluyendo la terapia farmacológica que exige un estricto cumplimiento y adhesión a las prescripciones clínicas como criterio determinante para su eficacia, si se presenta como algo ajeno a la realidad social y familiar que enmarca el problema del niño. Así pues, aun cuando los tratamientos conocidos avanzan progresivamente hacia una mayor sistematización y planificación previa, lo cierto es que su éxito conlleva atender a variables personales y contextuales influyentes en la aparición y mantenimiento del trastorno hiperactivo.

c) Trabajo interdisciplinar. Los profesionales que trabajan en este ámbito reconocen que es difícil avanzar en los objetivos terapéuticos propuestos si no existe una acción coordinada entre todos los expertos que intervienen en la vida de estos niños. La constatación que cada profesional tiene por separado del limitado alcance de su actuación constituye probablemente uno de los factores que ha estimulado la acción coordinada del médico, psicólogo y profesor, responsables habitualmente del tratamiento farmacológico, psicológico y de las iniciativas académicas, respectivamente. El seguimiento y apoyo de esta labor interdisciplinar por parte de los padres constituye una garantía de progreso en este ámbito.

d) Requisitos profesionales y personales. La experiencia clínica y los contactos con familiares de niños afectados evidencian diariamente la desazón que les causa a los padres el diagnóstico de hiperactividad. Esta preocupación va acompañada por cierta inquietud sobre la atención profesional que recibirá su hijo. Como se ha indicado anteriormente, la formación especializada y experiencia en el trastorno, en sus síntomas y alteraciones emocionales y conductuales asociados, es una variable determinante para su tratamiento y evolución satisfactoria. No cabe duda de que la atención a estos pacientes requiere, además de conocimientos generales sobre salud mental infantil y sobre dinámica familiar, formación especializada en los trastornos atencionales e hiperactividad.

Por otro lado, de nada servirá un correcto asesoramiento profesional si los adultos encargados de atender al niño en su entorno natural carecen de habilidades y recursos necesarios para hacer frente a los problemas característicos. Así pues, es sabido que, en el contexto del trabajo interdisciplinar antes mencionado, los padres y educadores han de recibir ayuda tanto en forma de entrenamiento en habilidades conductuales apropiadas como de apoyo psicológico para hacer frente a las dificultades cotidianas y garantizar que las interacciones entre el niño afectado y su medio social no se conviertan en fuente de conflicto para el paciente y sus familiares. Es ésta una vía de investigación abierta que se observa prolífica en la actualidad, pues indaga en los métodos y procedimientos que permitan optimizar los recursos disponibles (profesionales, académicos, etc.) para hacer extensiva una atención integral a los niños hiperactivos.

Elección del tratamiento. ¿Cómo decidir el adecuado?

Una vez delimitados los aspectos comunes de las intervenciones en este campo, restan añadir algunos de los criterios que guían la selección de la terapia aconsejada en cada caso de hiperactividad. Sin olvidar que el ámbito profesional del experto e incluso su adscripción a determinados planteamientos científicos pudieran incidir en esta cuestión, la elección del tratamiento en cada caso de hiperactividad supone, entre otras cuestiones, las siguientes:

- Tener en cuenta los efectos terapéuticos conocidos de los distintos tratamientos habituales en este campo.
- Estimar en términos de coste/beneficio las propuestas terapéuticas tradicionales, esto es, las ventajas, inconvenientes y efectos secundarios asociados.
- Considerar variables como severidad del trastorno y nivel de estrés que origina en el medio familiar y escolar.
- Valorar la actitud de los adultos hacia los diferentes tratamientos y las posibilidades reales que existen de implicarles activamente en la intervención terapéutica decidida.

Duración de la terapia. ¿Cuándo finaliza el tratamiento?

A continuación hemos de mencionar, al menos brevemente, la cuestión de los criterios de éxito terapéutico manejados respecto al TDAH. En este sentido hay que consignar que tratándose de un trastorno cuyos síntomas, aunque atenuados, persisten y en relación con el cual ningún tratamiento ofrece una respuesta clínica global, dando lugar a una concepción del trastorno como una *condición crónica* que requiere tratamiento prolongado, es fácil que las personas implicadas se pregunten si el cese de la terapia conlleva la mejoría del paciente en todos sus extremos, comportamientos problemáticos, déficit cognitivos asociados, etc., o si, por el contrario, alcanzar resultados satisfactorios en algunos de los problemas implicados constituye el parámetro de referencia para decidir esta cuestión. En definitiva, la problemática queda planteada en los siguientes términos:

¿Qué podemos esperar, por tanto, del tratamiento empleado?
¿Es posible obtener índices de éxito próximos a la remisión completa de los síntomas o, por el contrario, la satisfacción de ciertas exigencias de control conductual y rendimiento académico resultan suficientes para dar por concluida la terapia?
¿Cuándo se interrumpe la terapia?

Aunque no es unánime la opinión de los expertos con relación al tema, sí coinciden al señalar que más que esperar una mejoría amplia e improbable en todas las áreas afectadas, dadas las condiciones conocidas, conviene, por ser más ajustado a la realidad del trastorno, plantear y buscar objetivos concretos, cercanos a los resultados clínicos conocidos según el tratamiento seleccionado en cada caso de hiperactividad. En este sentido, algunos de los criterios de éxito terapéutico contemplados en la práctica clínica habitual incluyen:

- Alcanzar los objetivos de rendimiento académico exigidos según el nivel evolutivo y escolar normalizado.
- Lograr inhibición motora, es decir, controlar la sobreactividad característica, en el ambiente natural.
- Aumentar las habilidades de autocontrol y controlar la impulsividad e impaciencia habituales.
- Mejorar las relaciones sociales en casa y en el colegio. Esto es, disminuir los conflictos con los padres y hermanos, aumentar la cooperación con los compañeros, participar en actividades de grupo, etc.

Algunas preguntas y respuestas

A continuación se exponen algunas cuestiones relacionadas con el contenido de las páginas anteriores, que reflejan las preocupaciones de los padres al respecto.

Mi hijo tiene 4 años y es muy inquieto, siempre está en movimiento, cambia una y otra vez de juego o actividad. He de repetirle muchas veces las cosas para que obedezca, no se entera o finge no entender. ¿Debo consultar a un experto por si acaso fuera hiperactivo?

Ha de tener en cuenta que si bien algunos síntomas e indicadores de hiperactividad o déficit de atención pueden estar presentes antes de los siete años, no es hasta esa edad cuando se establece con precisión el diagnóstico, que requiere, además, entre otros criterios, que exista un deterioro significativo de la actividad social o académica. En consecuencia, aunque pudiera especularse con la posibilidad de que fuera hiperactivo conviene estar atento a la evolución de los síntomas y dejar margen para que el propio progreso evolutivo y las adecuadas influencias ambientales acomoden los desajustes comportamentales a patrones de normalidad según la edad del niño. Observe, no obstante, que si los síntomas persisten en torno a los seis/siete años, es el momento de consultar con un experto y no ignorar los problemas en la confianza de que éstos desaparecerán con el transcurso del tiempo. Tenga en cuenta que la detección precoz del trastorno ayuda a planificar antes el tratamiento, evitar la cronicidad de los problemas característicos y prevenir la aparición de dificultades en la adaptación social del niño.

¿Cuándo es recomendable tomar fármacos estimulantes?

Cuando los padres han de decidir sobre esta cuestión, conviene apoyar la decisión una vez valorados los beneficios y riesgos asociados. Hay que tener en cuenta que la medicación estimulante constituye una opción valiosa cuando el nivel de afectación y gravedad de los problemas que presenta el niño es de tal importancia y magnitud, que existe un riesgo elevado de deterioro académico, familiar y social. También están recomendados los fármacos cuando las terapias psicológicas no son suficientes por estos motivos, o resultan imposibles de llevar a la práctica con éxito debido a las escasas posibilidades que tienen los adultos implicados de seguir las recomendaciones y prescripciones propuestas por el psicólogo.

Aunque no es la única opción de tratamiento, ni tampoco imprescindible en todos los casos de hiperactividad diagnosticados, sí es una alternativa eficaz para controlar los síntomas más disruptivos y problemáticos de la hiperactividad, pues contribuyen a adaptar y normalizar el comportamiento desadaptado del niño y prepararlo para otros progresos psicológicos.

¿Se cura la hiperactividad? ¿Remite definitivamente el TDAH?

Actualmente los síntomas más graves del trastorno se controlan con medicación estimulante. Esos fármacos influyen positivamente en la sobreactividad motora e inquietud, centran la atención y ayudan a persistir en las tareas. Los programas psicológicos mejoran el comportamiento general del niño, le ayudan a autocontrolarse y le enseñan habilidades para afrontar con éxito las demandas de su entorno. Su conducta es más adaptada en casa, en el colegio y con los compañeros. No obstante, en algunos niños los síntomas persisten en la adolescencia y en la vida adulta. Aunque no es posible determinar y acotar el alcance de la influencia, los factores ambientales desempeñan un papel relevante en la evolución de este trastorno.

5

Consejos finales y orientaciones para el futuro. ¿Qué podemos concluir?

Es previsible que las investigaciones sobre el TDAH deparen en el futuro avances respecto al origen del trastorno e identificación de tratamientos que logren resultados más amplios y consolidados con menos costes.

A corto plazo, la hiperactividad infantil requiere adoptar medidas específicas en el colegio y estrategias eficaces en la familia. La actuación de los padres no puede ser esporádica, puntual. Es imprescindible desarrollar un trabajo continuado que tenga como objetivo establecer prioridades y fomentar coherentemente autocontrol. Al mismo tiempo, es necesario que los adultos adopten iniciativas para atenuar el efecto adverso que el trastorno les ocasiona a sí mismos.

Cuestiones pendientes y desarrollos futuros. ¿Qué podemos esperar?

La investigación actual sobre el Trastorno por Déficit de Atención con Hiperactividad es prolífica en cuanto a líneas de trabajo abiertas, objetivos planteados, muestras de niños afectados y recursos profesionales y materiales invertidos. Si bien quedan pendientes de resolución los problemas conceptuales conocidos y las limitaciones existentes para establecer un diagnóstico diferencial correcto, numerosos indicios señalan que, en los próximos años, los trabajos científicos y aplicados en este campo se centrarán, entre otras, en las siguientes áreas de interés:

1. *Etiología del trastorno y avances terapéuticos.* Al respecto destacan los estudios actuales sobre el origen biológico del problema y las aportaciones genéticas implicadas. Asimismo, se esperan avances en terapéutica farmacológica. Nuevos fármacos disponibles potenciarán los efectos ya conocidos en el ámbito conductual y atencional prolongando la mejoría y atenuando los efectos secundarios asociados a la medicación habitualmente empleada en estos casos. Por otro lado, cobra cada día más importancia el desarrollo de protocolos psicológicos especializados de evaluación y diagnóstico del TDAH.

Por otra parte, es de esperar que el tratamiento de la hiperactividad refleje, en un futuro próximo, las concepciones actuales que entienden el trastorno como condición crónica y, en consecuencia, se desarrolle durante períodos prolongados de tiempo con fases intensivas de intervención seguidas de períodos de seguimiento. Esta circunstancia obligará a trabajar activamente para definir las condiciones que influyen en la eficacia de programas terapéuticos de amplio espectro que, como se ha indicado en páginas anteriores, incluyen la aplicación de diversas técnicas psicológicas y conllevan la implicación activa de terceras personas. Asimismo, es posible que en los próximos años se produzcan avances significativos respecto a los criterios y/o parámetros según los cuales será posible adaptar y acomodar individualmente las condiciones de aplicación de los tratamientos.

2. *Actuaciones e intervenciones con fines preventivos,* encaminadas a fomentar habilidades de autocontrol y de solución de problemas en los menores escolarizados.

3. *Propuestas de actividades de formación y asesoramiento* para los adultos relacionados con los niños afectados, por un lado, y consolidación de asociaciones de afectados y grupos de autoayuda, por otro.

En pocas ocasiones, a pesar de la tradición investigadora sobre el trastorno hiperactivo, se ha hablado y planteado abiertamente estrategias para la prevención de la hiperactividad. Argumentos diversos y explicaciones sobre la etiología multifactorial reconocida han justificado el escaso desarrollo de estas cuestiones. En los últimos tiempos, una vez admitida la influencia y determinación que ejercen los factores ambientales y contextuales, tanto en la exacerbación o atenuación de los primeros síntomas como en la evolución y pronóstico de los problemas, son numerosas las voces que abogan por iniciativas encaminadas a prevenir y controlar el impacto individual y social que este trastorno origina. Algunas de las propuestas planteadas hasta el momento diferencian dos tipos de actuaciones, a saber:

1. *Intervención temprana en los niños escolarizados.* Parece claro que la prevención de la hiperactividad-impulsividad infantil pasa por la adquisición individual de habilidades de autocontrol, aprendidas mediante técnicas psicológicas que fomentan, en situaciones problemáticas, generación de alternativas de solución ante los problemas o exigencias ambientales, anticipación de consecuencias y demora de las demandas y satisfacciones inmediatas.

2. *Actuaciones ambientales específicas.* En este sentido se propone desarrollar iniciativas que tienen que ver con cierta planificación ambiental y con pautas educativas encaminadas a fomentar inhibición motora, autorregulación y afrontamiento eficaz de las demandas y presiones educativas, que irán en aumento a medida que el niño progresa académicamente. Así, en años previos a la escolaridad infantil es aconsejable establecer una rutina en cuanto a hábitos y costumbres. Es decir, conviene respetar hábitos regulares de alimentación, sueño y participación social (regular la asistencia a fiestas infantiles, cumpleaños multitudinarios, etc.), disponer ambientes sosegados evitando acontecimientos que puedan resultar estresantes para el niño y estimular experiencias que fomenten control corporal e inhibición motora. Durante la escolaridad y en la medida en que las demandas académicas son más notables, resulta idóneo desarrollar un programa de aprendizaje estructurado y sistematizado en cuanto a exigencias conductuales y contenidos que los niños han de aprender, con niveles de complejidad progresiva, acordes con las posibilidades infantiles, dejando al margen demandas exageradas y distantes respecto a las pautas nor-

males del desarrollo infantil. Se trata, por tanto, de integrar y armonizar el progreso escolar con el control conductual adecuado.

En cualquier caso, no cabe duda de que para prevenir los desajustes de comportamiento y limitaciones cognitivas que acompañan a la hiperactividad es imprescindible que los adultos incentiven y valoren un estilo de actuación reflexivo, no impulsivo, evitando pautas educativas que explícita o implícitamente fomenten la impulsividad infantil y favoreciendo desde las primeras edades maduración e inhibición conductual.

Aún queda mucho por hacer. Padre bombero *versus* padre director/ constructor

Es normal y saludable que los padres reflexionen y reexaminen cómo proceden y actúan con relación a las dificultades y problemas que ocasionan sus hijos hiperactivos. Algún padre afectado se ha referido a ello utilizando el símil de padres bomberos, por cuanto se afanan diariamente en apagar fuegos cuando éstos ya han comenzado. Es cierto que la urgencia y magnitud del problema demanda una respuesta puntual que logre «controlar las llamas». No obstante, la experiencia diaria y cotidiana revela a los adultos que conviven con niños hiperactivos que procediendo de este modo no se apaga definitivamente el incendio, tan sólo se logra mantenerlo, en ese momento, bajo control. Si el objetivo, como es lógico, es que el fuego no se reproduzca al poco tiempo y, por tanto, las llamas no enciendan de nuevo, no cabe duda de que se hace necesario afrontar el problema de otra manera.

Nos hemos referido en páginas anteriores a la complejidad que entraña el trastorno hiperactivo porque se ven afectados ámbitos muy significativos para la adaptación del niño, rendimiento escolar, armonía familiar, convivencia con compañeros, etc.; por tanto, su afrontamiento desde la vida familiar no puede limitarse a una actuación de los padres que resulte esporádica, puntual y precisa para atajar los problemas cotidianos. En su lugar, los adultos han de adoptar una estrategia más global que supone asumir un papel relevante en la dirección y construcción del armazón psicológico y conductual que permitirá a su hijo ser capaz de controlar sus impulsos, planificar sus actuaciones y tomar las riendas de su comportamiento y de sus proyectos vitales a medio y largo plazo.

No cabe duda de que para construir este edificio es necesario que los padres superen el desánimo y los sentimientos de inhabilidad e incompetencia que con frecuencia les afectan y afronten el problema desde la perspectiva de un *trabajo continuado, persistente y coherente,* pues aun reconociendo que algunos síntomas del trastorno persisten, también es cierto que los niños hiperactivos son creativos, imaginativos y desarrollan habilidades en numerosos ámbitos. En este sentido, conviene reiterar que se ignora la influencia del ambiente y de las actuaciones familiares en el origen de la hiperactividad, pero sí se reconoce y aprecia este papel en la evolución de los problemas. En consecuencia, llegados a este punto, es necesario recordar al lector, posiblemente padre/madre de un niño hiperactivo, que el «edificio permanece en construcción» o, lo que es igual, quedan aún muchas cosas por hacer y numerosas decisiones que adoptar y usted como padre tiene una enorme capacidad de influencia en esa construcción. Ahora bien, no cabe duda de que su papel será mejor y más rentabilizado si es asesorado/a y apoyado/a en su trabajo diario por expertos.

Para caminar hacia esta dirección, y a modo de síntesis, proponemos algunas orientaciones que pueden serle de utilidad:

- Establezca prioridades y aprenda a relativizar y analizar objetivamente los problemas. No todo es igualmente importante.
- Comprenda las limitaciones de su hijo.
- Cuide y preserve las relaciones familiares. Los logros académicos son importantes pero no tanto como la estabilidad emocional y calidad de las relaciones padres-hijos.
- Cuídese y busque ayuda.
- Esté atento y obtenga información sobre los avances científicos que se produzcan sobre el trastorno diagnosticado a su hijo.

Algunas preguntas y respuestas

Por último, se plantean algunas cuestiones de interés para los padres de niños hiperactivos referidas a la evolución previsible del trastorno y al interés actual sobre el mismo.

Tras la última discusión y enfado siempre me pregunto ¿qué más puedo hacer por ayudar a mi hijo?, ¿es razonable esperar que los problemas remitirán a medida que crezca y se haga mayor?

Ya se ha indicado que es difícil y complicado para los padres intentar afrontar por sí solos las complicaciones y dificultades derivadas del TDAH. Téngase en cuenta que el mero transcurso del tiempo en nada beneficia al niño, al contrario, contribuye a agravar los problemas por cuanto las interacciones familiares y sociales resultan más negativas. Asimismo, las relaciones padres-hijo deterioradas originan estrés, malestar subjetivo y sentimientos de incompetencia y frustración y merman la autoestima. Por tanto, es conveniente que los padres busquen ayuda y apoyo profesional e intercambien experiencias y puntos de vista con otros adultos afectados.

¿Qué ocurrirá cuando mi hijo sea adolescente?

Los propios cambios evolutivos unidos a la complejidad del trastorno contribuirán a que, probablemente, el joven muestre más comportamientos de desafío, negativismo y aumenten las discusiones y exigencias personales. En esta etapa el rendimiento académico y el posible abuso de drogas y alcohol, además de otras conductas de riesgo, constituyen fuentes importantes de preocupación para los padres. Respecto al desempeño académico, preocupan los resultados y el comportamiento del adolescente hiperactivo porque, entre otras razones, es posible que la tutela y supervisión que hasta entonces ha ejercido un determinado profesor no sea viable en estos años debido al intercambio y flujo de distintos docentes a lo largo del curso. No obstante, cuando esto ocurra, procure que algún profesor se encargue de la atención individualizada, trabaje por una adaptación de contenidos y exigencias académicas y busque ayuda para que su hijo adolescente sea tratado y asesorado por expertos acerca de las limitaciones que conlleva el trastorno que padece y cómo orientar sus puntos fuertes. Es posible que estos profesionales enfoquen su trabajo en el desarrollo de habilidades sociales y en el aprendizaje de estrategias de solución de problemas.

En los últimos tiempos recibo mucha información sobre el TDAH, se constituyen asociaciones de afectados, aumentan las páginas web sobre el tema y aparecen numerosas referencias en los medios de comunicación, ¿acaso significa esto que la hiperactividad es un trastorno ligado a las condiciones de la sociedad y modo de vida actuales?

Los problemas característicos de los niños hiperactivos fueron puestos de manifiesto por Still en 1902; desde entonces el trastorno hiperactivo ha sido objeto de numerosas investigaciones que han abundado en su sintomatología, principal y asociada, factores etiológicos implicados, diagnóstico, tratamiento, etc., si bien es cierto que la repercusión adversa que el trastorno genera en la adaptación escolar y social del niño afectado y en su familia, unido a las técnicas más precisas para establecer el diagnóstico, los logros de la terapia farmacológica y la difusión y hallazgos de los tratamientos psicológicos asociados, junto a los datos conocidos sobre su incidencia en población adulta, han contribuido a incrementar el interés social y profesional que en la actualidad se percibe por el TDAH.

No podemos obviar que la persistencia y cronicidad de las deficiencias atencionales que se observan en numerosos escolares, junto a la gravedad de los problemas de comportamiento apreciados en numerosos niños y adolescentes con síntomas hiperactivos, han despertado el reconocimiento institucional y social del Trastorno por Déficit de Atención con Hiperactividad.

Lecturas recomendadas

Barkley, R. A. (1999). *Niños hiperactivos. Cómo comprender y atender sus necesidades especiales*. Barcelona: Paidós.

Se trata de un libro destinado a los padres de niños hiperactivos. Su objetivo consiste fundamentalmente en proporcionar a los adultos recursos y estrategias para que ayuden a sus hijos, una vez que han comprendido las limitaciones del trastorno que les afecta. Su contenido integra los conocimientos actuales sobre el TDAH con la descripción de iniciativas (principios y estrategias específicas) que el autor recomienda a los padres para educar a los niños hiperactivos. Se hace hincapié en cómo organizar la vida con el niño en casa y en el colegio, cómo afrontar los conflictos, cómo ayudarle en las interacciones sociales con amigos y compañeros, al tiempo que ofrece pautas e indicaciones para mejorar la convivencia y ayudar al niño cuando es un adolescente con TDAH.

Bauermeister, J. J. (2002). *Hiperactivo, impulsivo, distraído ¿me conoces?* Madrid: Albor-Cohs.

En este libro se describe el trastorno hiperactivo atendiendo a sus características y limitaciones asociadas. Además del tratamiento farmacológico, se plantea el tratamiento psicológico tomando como ejes destacados las estrategias de control que el autor diferencia entre aplicación de consecuencias positivas y aplicación de consecuencias negativas. Se hace referencia a la importancia de fortalecer la autoestima del niño y favorecer una comunicación eficaz con él.

Brown, T. E. (2003). *Trastornos por déficit de atención y comorbilidades en niños, adolescentes adultos*. Barcelona: Masson.

Se trata de un texto actualizado sobre el Trastorno por Déficit de Atención con predominio Déficit de Atención. El aumento de las personas que son diagnosticadas y tratadas por dificultades crónicas de atención, unido a las evidencias que revelan cómo los individuos diagnosticados con TDAH comparten síntomas, o tienen alta probabilidad de compartirlos, de otros trastornos mentales, constituye el argumento esencial de su contenido. A excepción de varios capítulos dedicados a genética y evolución del trastorno y a su tratamiento en niños y adultos, se ocupa en analizar exhaustivamente la concurrencia de éste con otros trastornos mentales (trastorno de ansiedad, negativismo y agresividad, trastorno obsesivo-compulsivo, del aprendizaje, etc.).

DuPaul, G. y Costello, A. (1999). Los estimulantes. En R. Barkley (1999). *Niños hiperactivos. Cómo comprender y atender sus necesidades especiales* (páginas 273-286), Barcelona: Paidós.

En este capítulo se exponen con claridad las cuestiones que preocupan e inquietan a los padres de niños hiperactivos con relación a la medicación estimulante. Su contenido se centra, por un lado, en los mitos y creencias erróneas, con frecuencia compartidas por los adultos, sobre los estimulantes y, por otro, en cómo actúan estos fármacos, cuáles son sus efectos secundarios, cómo se prescriben y cuándo se interrumpe su administración.

Hallowell, E. M. y Ratey, J. J. (2001). *TDA: Controlando la hiperactividad.* Barcelona: Paidós.

Se analiza el trastorno y su repercusión en las distintas etapas de la vida, en la infancia y vida adulta. A través de la descripción de varios casos de pacientes afectados con síntomas propios de los distintos subtipos diferenciados, se analizan los problemas, dificultades y repercusión en la vida familiar y, respecto a los adultos, en la pareja. Se exponen indicaciones específicas para abordar el TDAH en la familia y en el colegio.

Moreno, G. I. (1995). *Hiperactividad. Prevención, evaluación y tratamiento en la infancia.* Madrid: Pirámide.

Destinado a padres y profesionales, este libro analiza la hiperactividad a través de sus síntomas, primarios y asociados, incidencia y evolución. Se atiende a las distintas explicaciones etiológicas planteadas sobre el trastorno y a los criterios e instrumentos empleados habitualmente en su evaluación. Los tratamientos administrados para tratar a los niños hiperactivos, medicación y terapia psicológica, son objeto de especial consideración tanto por los resultados que obtienen como por las limitaciones que conllevan. Por último, se indican distintas estrategias para facilitar el manejo del niño hiperactivo en casa y en el colegio.

Moreno, G. I. y Servera, M. (2002). Los trastornos por déficit de atención con hiperactividad. En M. Servera (coord.), *Intervención en los trastornos del comportamiento infantil* (páginas 217- 253). Madrid: Pirámide.

En este capítulo se analizan los conocimientos actuales sobre la sintomatología, curso evolutivo, diagnóstico y modelos explicativos del trastorno. Se describen los instrumentos y protocolos de evaluación desarrollados así como las alternativas de tratamiento recomendadas en estos casos. Además del tratamiento al propio niño, se hace hincapié en la necesidad de ayudar y asesorar a sus padres y de contar, asimismo, con el apoyo del profesor.

Taylor, E. (1998). *El niño hiperactivo*. Madrid: Edaf.

El contenido de este libro, que pretende informar y orientar específicamente a los padres, atiende tanto a las cuestiones tradicionales que aparecen en los textos sobre el tema, a saber, características, causas, tratamiento de la hiperactividad, etc., como a otros aspectos del trastorno, más vinculados con las preocupaciones e inquietudes de los adultos, entre ellos, influencias familiares, complicaciones asociadas o dificultades escolares de los niños hiperactivos, etc.

TÍTULOS PUBLICADOS